영재교육원 영재학급 관찰추천제 대비

5일 완성 프로젝트

파이널

개념의 창의적 문제해결력

수학 50제

초등
5~6 학년

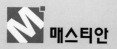

구성과 특징

수학 사고력

영재성검사, 창의적 문제해결력 검사 및 평가, 창의탐구력 검사에 출제되는 문제 유형입니다. 개념 이해력을 평가할 수 있는 교과 개념과 관련된 사고력 문제 유형과, 개념 응용력을 평가할 수 있는 창의사고력과 관련된 심화사고력 문제 유형으로 구성하였습니다.

수학 창의성

영재성검사, 창의적 문제해결력 검사 및 평가에 출제되는 문제 유형입니다. 창의성 평가 요소 중 유창성과 독창성 및 융통성을 평가할 수 있는 창의성 문제 유형으로 구성하였습니다. 유창성은 원활하고 민첩하게 사고하여 많은 양의 산출 결과를 내는 능력으로, 어떤 문제의 유효한 아이디어를 제한된 시간 내에 많이 쏟아내야 합니다. 독창성은 새롭고 독특한 아이디어를 산출해 내는 능력으로, 유창성 점수를 받은 유효한 아이디어 중 같은 학년의 학생들이 생각할 수 있는 아이디어가 아닌 특이하고 새로운 방식의 아이디어인 경우 추가로 점수를 받을 수 있습니다. 융통성은 생성해 낸 아이디어의 범주의 수를 의미하며, 다양한 각도에서 생각해야 합니다.

수학 STEAM

창의적 문제해결력 검사 및 평가, 창의탐구력 검사에 출제되는 신유형의 융합사고력 문제입니다. 융합사고력 문제는 단계적 문제 유형으로, 첫 번째 문제로 문제 파악 능력을 평가하고, 두 번째 문제로 파악한 문제의 해결 능력을 평가할 수 있는 유형으로 구성하였습니다.

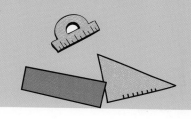

채점표

강별 배점이 100점이 되도록 문항별 점수와 평가 영역별 점수를 구성하였습니다. 수학 사고력 문항은 개념 이해력과 개념 응용력을, 수학 창의성은 유창성과 독창성 및 융통성을, 수학 STEAM은 문제 파악 능력과 문제 해결 능력을 평가 영역으로 구성하였습니다. 또한 채점 결과에 따른 문제 유형별 공부 방법을 제시하였습니다.

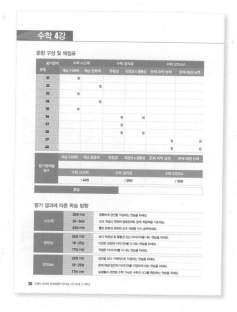

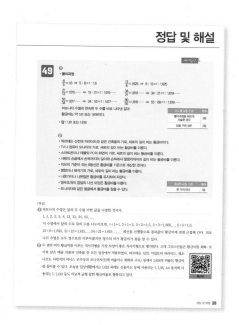

서술형 채점 기준

영재성검사, 창의적 문제해결력 검사 및 평가, 창의탐구력 검사에 출제되는 문제는 모두 서술형입니다. 부분 점수가 없는 객관식과 달리 서술형은 문제에서 요구하는 평가 요소들을 모두 넣어서 답안을 작성했는지에 따라 점수가 달라집니다. 자신의 답안을 채점 기준에 맞게 채점해 보면 서술형 답안 작성 방법을 연습할 수 있습니다.

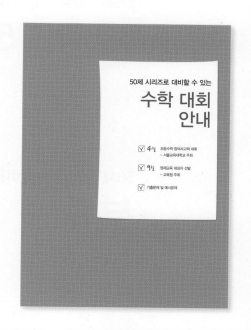

부록 50제 시리즈로 대비할 수 있는 수학 대회 안내

다양한 수학 대회들 중 어떻게 대회를 준비해야 하는지 고민하시는 분들을 위해 50제 시리즈로 대비할 수 있는 수학 대회를 정리했습니다. 이 대회들은 영재교육원 문제 유형과 유사해서 미리 영재교육원 입시를 경험할 수 있고 실력을 체크할 수 있습니다. 각 대회의 기출문제와 영재교육원 각 단계별 기출문제를 같이 수록했습니다.

목차

안쌤의 창의적 문제해결력 파이널 수학 50제

5·6학년 1강   05

안쌤의 창의적 문제해결력 파이널 수학 50제

5·6학년 2강   19

안쌤의 창의적 문제해결력 파이널 수학 50제

5·6학년 3강   33

안쌤의 창의적 문제해결력 파이널 수학 50제

5·6학년 4강   47

안쌤의 창의적 문제해결력 파이널 수학 50제

5·6학년 5강   61

50제 시리즈로 대비할 수 있는 수학 대회 안내

부록   75

안쌤의 창의적 문제해결력

파이널 50제

수학1

초등
5·6
학년

수학 사고력
01

평가 영역
■ 수학 사고력　□ 수학 창의성
□ 수학 STEAM

평가 요소
■ 개념 이해력　□ 개념 응용력
□ 유창성　□ 독창성 및 융통성
□ 문제 파악 능력　□ 문제 해결 능력

교과 영역
■ 수와 연산　□ 도형　□ 측정
□ 규칙성　□ 확률과 통계

난이도 ★ ★ ☆

어떤 두 기약분수를 두 분모의 최소공배수를 공통분모로 하여 통분하였다. 통분한 두 분수의 분모의 합은 240, 분자의 합이 153, 분자의 차는 23일 때, 두 기약분수의 분자의 합을 풀이과정과 함께 구하시오. [8점]

・풀이과정

・답

수학 1강

수학 사고력 02

평가 영역
■ 수학 사고력 □ 수학 창의성
□ 수학 STEAM

평가 요소
■ 개념 이해력 □ 개념 응용력
□ 유창성 □ 독창성 및 융통성
□ 문제 파악 능력 □ 문제 해결 능력

교과 영역
□ 수와 연산 ■ 도형 □ 측정
□ 규칙성 □ 확률과 통계

난이도 ★ ★ ☆

다음 그림과 같이 한 변의 길이가 15 cm인 정사각형 ABCD가 있다. 칠해진 부분의 넓이를 풀이과정과 함께 구하시오. [8점]

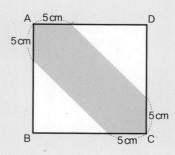

• 풀이과정

• 답

수학 사고력
03

평가 영역
■ 수학 사고력 □ 수학 창의성
□ 수학 STEAM

평가 요소
■ 개념 이해력 □ 개념 응용력
□ 유창성 □ 독창성 및 융통성
□ 문제 파악 능력 □ 문제 해결 능력

교과 영역
■ 수와 연산 □ 도형 □ 측정
□ 규칙성 □ 확률과 통계

난이도 ★ ★ ☆

두 종류의 설탕 A, B를 2 : 3으로 섞으면 1 kg에 5600원이 되고, 3 : 5로 섞으면 1 kg에 5625원이 된다. 설탕 A 1 kg, 설탕 B 1 kg의 가격의 합을 풀이과정과 함께 구하시오. [8점]

• 풀이과정

• 답

수학 사고력

04

평가 영역
■ 수학 사고력 □ 수학 창의성
□ 수학 STEAM

평가 요소
□ 개념 이해력 ■ 개념 응용력
□ 유창성 □ 독창성 및 융통성
□ 문제 파악 능력 □ 문제 해결 능력

교과 영역
■ 수와 연산 □ 도형 □ 측정
□ 규칙성 □ 확률과 통계

난이도 ★ ☆ ☆

다음과 같이 표준 몸무게와 과체중을 구하려고 한다. 키가 160 cm인 사람의 과체중 범위를 풀이과정과 함께 구하시오. [8점]

- 표준 몸무게(kg) : (키−100)×0.9
- 과체중 : 표준 몸무게의 120 % 이상 135 % 미만

• 풀이과정

• 답

수학 사고력
05

평가 영역

■ 수학 사고력　□ 수학 창의성
□ 수학 STEAM

평가 요소

□ 개념 이해력　■ 개념 응용력
□ 유창성　□ 독창성 및 융통성
□ 문제 파악 능력　□ 문제 해결 능력

교과 영역

■ 수와 연산　□ 도형　□ 측정
□ 규칙성　□ 확률과 통계

난이도 ★ ★ ★

강의 상류 ㉮ 지점과 하류 ㉯ 지점이 있다. 이 두 지점에서 보트 두 대가 서로 마주 보고 동시에 출발하였다. 두 보트는 출발한 지 40분 후에 만났고, 그 후 32분 후에 ㉮ 지점에서 출발한 보트는 ㉯ 지점에 도착하였다. 이때 ㉯ 지점에서 출발한 보트는 2.4 km를 더 가야 ㉮ 지점에 도착한다고 한다. 이동하는 동안 두 보트의 빠르기가 일정하다면 ㉮ 와 ㉯ 두 지점 사이의 거리는 얼마인지 풀이과정과 함께 구하시오. [8점]

• 풀이과정

• 답

수학 1강

수학 창의성 06

평가 영역
☐ 수학 사고력 ■ 수학 창의성
☐ 수학 STEAM

평가 요소
☐ 개념 이해력 ☐ 개념 응용력
■ 유창성 ■ 독창성 및 융통성
☐ 문제 파악 능력 ☐ 문제 해결 능력

교과 영역
■ 수와 연산 ☐ 도형 ☐ 측정
☐ 규칙성 ☐ 확률과 통계

난이도 ★ ★ ★

$\frac{1}{2}$, $\frac{1}{3}$과 같이 분자가 1인 분수를 단위분수라고 한다. 고대 이집트인들은 모든 분수를 단위분수를 이용해 표현했다고 한다. 이집트인들과 같이 $\frac{13}{28}$을 서로 다른 단위분수의 합으로 나타내는 방법을 세 가지 서술하시오. [10점]

$$\frac{3}{4} = \frac{1}{4} + \frac{2}{4} = \frac{1}{4} + \frac{1}{2}$$

① _____

_____

_____

② _____

_____

_____

③ _____

_____

_____

_____

수학 창의성
07

평가 영역
☐ 수학 사고력　■ 수학 창의성
☐ 수학 STEAM

평가 요소
☐ 개념 이해력　☐ 개념 응용력
■ 유창성　☐ 독창성 및 융통성
☐ 문제 파악 능력　☐ 문제 해결 능력

교과 영역
■ 수와 연산　☐ 도형　☐ 측정
☐ 규칙성　☐ 확률과 통계

난이도 ★ ★ ★

다음과 같이 4개의 수 4, 4, 4, 4와 나눗셈, 덧셈을 이용하면 15를 만들 수 있다. 4개의 수 4, 4, 4, 4와 괄호, 덧셈, 뺄셈, 곱셈, 나눗셈을 이용하여 1부터 10까지의 수를 식을 세워 각각 만드시오. [10점]

$$15 = 44 \div 4 + 4$$

① _____

② _____

③ _____

④ _____

⑤ _____

⑥ _____

⑦ _____

⑧ _____

⑨ _____

⑩ _____

수학 창의성

08

평가 영역
☐ 수학 사고력　■ 수학 창의성
☐ 수학 STEAM

평가 요소
☐ 개념 이해력　☐ 개념 응용력
■ 유창성　☐ 독창성 및 융통성
☐ 문제 파악 능력　☐ 문제 해결 능력

교과 영역
☐ 수와 연산　■ 도형　☐ 측정
☐ 규칙성　☐ 확률과 통계

난이도 ★ ★ ★

다음 그림과 같이 검은색 타일 4개, 흰색 타일 5개가 있다. 이 타일을 이용하여 오른쪽 판에 붙일 때 색과 모양을 생각하여 대칭축이 1개뿐인 선대칭 도형열 가지를 대칭축과 함께 그리시오. (단, 회전하거나 상하좌우로 뒤집어서 같은 모양이 되는 도형은 한 개의 도형으로 본다.) [10점]

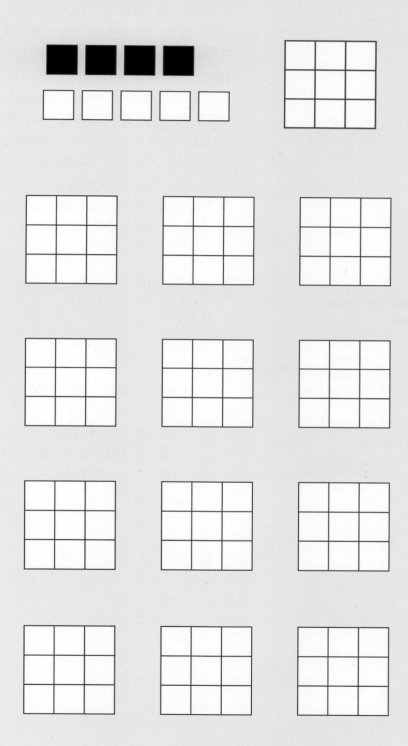

다음 기사를 읽고 물음에 답하시오.

기사

이집트 전 지역에 현존하는 70여 개의 피라미드 가운데 가장 규모가 커서 '대(大) 피라미드'라고도 불리는 쿠푸왕의 피라미드는 엄청난 규모와 복잡한 내부로 인해 세계 최대의 건축물이자 세계 7대 불가사의 가운데 하나로 꼽힌다. 이 피라미드는 147 m의 높이로 지어진 것으로 추정되지만 꼭대기 부분이 10 m 가량 파손되어 현재 높이는 137 m이다. 건축 당시에는 외장용 화강암의 표면을 매끄럽게 마무리하여 돌을 쌓아 올린 모습이 보이지 않았으나, 오랜 시간이 지나면서 풍화되고 도굴로 인하여 울퉁불퉁한 돌들이 드러나게 되었다. 피라미드는 10만 명의 인원이 약 10~20년에 걸쳐 건축한 것으로 추정되며, 건축 방법에 대한 의문점은 아직도 미스터리로 남아 있다.

1 다음 쿠푸왕 피라미드의 규모를 보고 피라미드의 무게를 구할 수 있는 방법을 두 가지 서술하시오. [5점]

- 사용된 돌의 수 : 230~250만 개
- 돌 1개 당 무게 : 평균 2.5 톤
- 피라미드의 높이 : 147 m
- 밑면의 가로와 세로의 길이 : 230 m
- 돌 한 개당 가로의 길이 : 1 m, 세로의 길이 : 1 m

①

②

평가 영역
☐ 수학 사고력   ☐ 수학 창의성
■ 수학 STEAM

평가 요소
☐ 개념 이해력   ☐ 개념 응용력
☐ 유창성   ☐ 독창성 및 융통성
■ 문제 파악 능력   ☐ 문제 해결 능력

교과 영역
■ 수와 연산   ☐ 도형   ■ 측정
☐ 규칙성   ■ 확률과 통계

난이도 ★ ★ ☆

수학 1강

평가 영역
□ 수학 사고력   □ 수학 창의성
■ 수학 STEAM

평가 요소
□ 개념 이해력   □ 개념 응용력
□ 유창성   □ 독창성 및 융통성
□ 문제 파악 능력   ■ 문제 해결 능력

교과 영역
■ 수와 연산   □ 도형   ■ 측정
□ 규칙성   □ 확률과 통계

난이도 ★ ★ ★

2 계산으로 구한 피라미드의 무게와 실제 피라미드의 무게 사이에는 오차가 생겼다고 한다. 오차가 생기는 이유에는 어떤 것들이 있는지 다섯 가지 서술하시오. [10점]

❶ _____

_____

❷ _____

_____

_____

❸ _____

_____

❹ _____

_____

❺ _____

_____

_____

_____

수학 STEAM
10

다음 기사를 읽고 물음에 답하시오.

기사

메르스는 과거 사람에게서는 발견되지 않은 새로운 유형의 바이러스 감염으로 인한 중증 급성 호흡기 질환이다. 최근 주로 중동지역의 아라비아 반도를 중심으로 감염 환자가 발생하여 '중동 호흡기 증후군'으로 불리게 되었

다. 이 바이러스는 중동 지역의 낙타와의 접촉을 통해 감염될 가능성이 높고 사람 간 밀접한 접촉에 의한 전파가 가능하다고 한다. 감염이 되면 열을 동반한 기침과 호흡 곤란, 가래 등 호흡기 증상이 나타나고 두통, 콧물, 식욕부진, 구토, 복통, 설사 등의 증상도 나타날 수 있다. 2015년 6월 12일을 기준으로 우리나라는 사우디아라비아에 이어 전 세계에서 2번째로 많은 메르스 환자(64명)가 발생하였으며 이 중 11명이 사망하였다.

평가 영역

☐ 수학 사고력 ☐ 수학 창의성
■ 수학 STEAM

평가 요소

☐ 개념 이해력 ☐ 개념 응용력
☐ 유창성 ☐ 독창성 및 융통성
■ 문제 파악 능력 ☐ 문제 해결 능력

교과 영역

■ 수와 연산 ☐ 도형 ☐ 측정
☐ 규칙성 ■ 확률과 통계

난이도 ★ ★ ★

① 다음은 2015년 6월 12일 기준 메르스 발생 국가의 확진자와 사망자 수이다. 친구에게 메르스의 치사율을 알려주려고 한다. 메르스의 치사율은 몇 % 인지 구하고, 그 이유를 서술하시오. (단, 치사율은 확진자 중 사망자의 비율이다.) [5점]

구분	사망	확진
사우디아라비아	450	1019
한국	11	126
아랍에미리트	10	76

2 메르스는 직접 접촉하거나 병원 내 감염 등의 제한적 전파로 인해 유행하는 전염력이 약한 바이러스로 알려져 있다. 보통 메르스 감염자 1명은 최대 0.6~0.8명을 감염시킨다고 한다. 하지만 우리나라의 경우 최초 감염자가 37명을 감염시켰고, 슈퍼전파자로 불리는 한 감염자는 약 80명을 감염시켰다고 한다. 질병 관리 본부에서 배포한 자료를 참고하여 우리나라에서 메르스가 빠르게 널리 퍼지는 이유를 추리하여 다섯 가지 서술하시오. [10점]

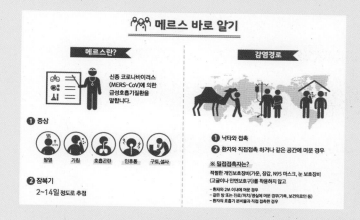

① _____

② _____

③ _____

④ _____

⑤ _____

안쌤의 창의적 문제해결력

파이널 50제
수학2

초등
5·6
학년

평가 영역

■ 수학 사고력　□ 수학 창의성
□ 수학 STEAM

평가 요소

■ 개념 이해력　□ 개념 응용력
□ 유창성　□ 독창성 및 융통성
□ 문제 파악 능력 □ 문제 해결 능력

교과 영역

■ 수와 연산 □ 도형 □ 측정
□ 규칙성 □ 확률과 통계

난이도 ★ ☆ ☆

다음 다섯 장의 숫자 카드를 한 번씩만 이용하여 6의 배수인 세 자리 수를 만들려고 한다.

2　3　4　5　7

1 6의 배수를 구하는 방법을 두 가지 서술하시오. [6점]

2 숫자 카드를 이용하여 만들 수 있는 6의 배수인 세 자리 수를 모두 쓰시오. [2점]

수학 사고력
12

평가 영역
■ 수학 사고력 □ 수학 창의성
□ 수학 STEAM

평가 요소
■ 개념 이해력 □ 개념 응용력
□ 유창성 □ 독창성 및 융통성
□ 문제 파악 능력 □ 문제 해결 능력

교과 영역
□ 수와 연산 ■ 도형 □ 측정
□ 규칙성 □ 확률과 통계

난이도 ★ ★ ☆

넓이가 60 cm²인 사각형 ㄱㄴㄷㄹ을 대각선을 이용해 4개의 삼각형으로 나누었다. 삼각형 ㄱㅁㄹ의 넓이가 8 cm²이고 삼각형 ㄷㄹㅁ의 넓이가 12 cm²일 때, 나머지 두 삼각형의 넓이를 각각 풀이과정과 함께 구하시오. [8점]

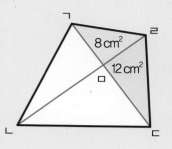

• 풀이과정

• 답

재민이는 축구와 야구 중 반 학생들이 좋아하는 운동을 조사하였다. 축구와 야구를 모두 좋아하는 학생 수는 12명이고, 이 수는 축구를 좋아하는 학생 수의 $\frac{4}{7}$이다. 야구를 좋아하는 학생 수가 축구를 좋아하는 학생 수보다 2명 많을 때, 재민이네 반 학생은 최소 몇 명인지 풀이과정과 함께 구하시오. [8점]

평가 영역
■ 수학 사고력   □ 수학 창의성
□ 수학 STEAM

평가 요소
□ 개념 이해력   ■ 개념 응용력
□ 유창성   ■ 독창성 및 융통성
□ 문제 파악 능력 □ 문제 해결 능력

교과 영역
■ 수와 연산 □ 도형 □ 측정
□ 규칙성 □ 확률과 통계

난이도 ★ ★ ☆

• 풀이과정

• 답

평가 영역

■ 수학 사고력 □ 수학 창의성
□ 수학 STEAM

평가 요소

■ 개념 이해력 □ 개념 응용력
□ 유창성 □ 독창성 및 융통성
□ 문제 파악 능력 □ 문제 해결 능력

교과 영역

□ 수와 연산 ■ 도형 □ 측정
□ 규칙성 □ 확률과 통계

난이도 ★ ★ ☆

삼각형 A′BC′은 삼각형 ABC를 점 B를 중심으로 30°만큼 회전시킨 것이다.
각 ㉠의 크기를 풀이과정과 함께 구하시오. [8점]

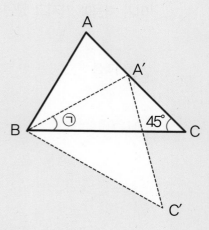

• 풀이과정

• 답

수학 사고력

15

평가 영역
■ 수학 사고력 □ 수학 창의성
□ 수학 STEAM

평가 요소
□ 개념 이해력 ■ 개념 응용력
□ 유창성 □ 독창성 및 융통성
□ 문제 파악 능력 □ 문제 해결 능력

교과 영역
■ 수와 연산 □ 도형 □ 측정
□ 규칙성 □ 확률과 통계

난이도 ★ ★ ☆

현준, 민준, 혜성 세 사람이 게임을 한다. 게임에서 진 사람은 가지고 있던 돈의 절반을 두 사람에게 똑같이 반씩 나누어 준다. 세 번의 게임을 현준, 민준, 혜성의 순서대로 졌더니 세 사람이 가진 돈은 40000원으로 같아졌다. 혜성이가 처음에 가지고 있던 돈을 풀이과정과 함께 구하시오. [8점]

• 풀이과정

• 답

수학 창의성 16

평가 영역
☐ 수학 사고력 ■ 수학 창의성
☐ 수학 STEAM

평가 요소
☐ 개념 이해력 ☐ 개념 응용력
■ 유창성 ■ 독창성 및 융통성
☐ 문제 파악 능력 ☐ 문제 해결 능력

교과 영역
☐ 수와 연산 ■ 도형 ☐ 측정
☐ 규칙성 ☐ 확률과 통계

난이도 ★ ★ ★

다음 그림은 사각형과 오각형, 육각형의 대각선을 그린 것이다. 그림과 표를 통하여 알 수 있는 사실을 다섯 가지 서술하시오. [10점]

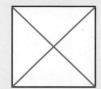  

도형	삼각형	사각형	오각형	육각형	칠각형	…	십이각형
변의 개수(개)	3	4	5	6	7	…	12
대각선의 개수(개)	0	2	5	9	14	…	54

① _____

_____

② _____

_____

③ _____

_____

④ _____

_____

⑤ _____

_____

_____

수학 창의성 17

평가 영역
- ☐ 수학 사고력　■ 수학 창의성
- ☐ 수학 STEAM

평가 요소
- ☐ 개념 이해력　☐ 개념 응용력
- ■ 유창성　■ 독창성 및 융통성
- ☐ 문제 파악 능력　☐ 문제 해결 능력

교과 영역
- ☐ 수와 연산　■ 도형　☐ 측정
- ☐ 규칙성　☐ 확률과 통계

난이도 ★ ★ ☆

다음 입체도형을 이용한 수학 문제를 다섯 가지 만드시오. [10점]

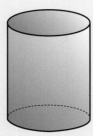

① _____

② _____

③ _____

④ _____

⑤ _____

평가 영역
☐ 수학 사고력 ■ 수학 창의성
☐ 수학 STEAM

평가 요소
☐ 개념 이해력 ☐ 개념 응용력
■ 유창성 ■ 독창성 및 융통성
☐ 문제 파악 능력 ☐ 문제 해결 능력

교과 영역
☐ 수와 연산 ■ 도형 ☐ 측정
☐ 규칙성 ☐ 확률과 통계

난이도 ★ ★ ★

다음 네 개의 점을 3개의 직선으로 한붓그리기(연필을 떼지 않고 그림을 이어서 계속 그리는 것)를 하여 주어진 방법 이외의 열 가지 방법을 그리시오. [10점]

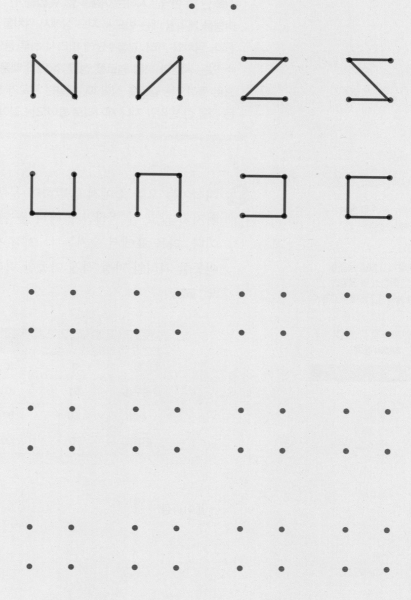

다음 기사를 읽고 물음에 답하시오.

기사

영국의 수학자 윌리엄 해밀턴은 수수께끼 하나를 제시했다. 어떤 도시에서 출발한 후 길을 따라서 한 도시를 한 번만 방문하여 최초의 출발 도시로 돌아오는 것이다. 세계 유명 도시를 단 한 번씩만 지나는 여행을 할 수 있을까?

여행을 계획할 때는 반드시 지도 상에서 위치를 파악해야 한다. 위치와 거리, 교통수단에 따라서 하루 동안 활용할 수 있는 시간과 이동 경로를 정할 수 있기 때문이다. 최소의 시간과 비용으로 출발점으로 돌아오는 경로를 정할 때, 해밀턴 회로가 활용된다. 해밀턴 회로는 평면 위의 모든 점을 한 번씩만 지나 제자리로 돌아오는 길이다.

평가 영역

☐ 수학 사고력 ☐ 수학 창의성
■ 수학 STEAM

평가 요소

☐ 개념 이해력 ☐ 개념 응용력
☐ 유창성 ☐ 독창성 및 융통성
■ 문제 파악 능력 ☐ 문제 해결 능력

교과 영역

■ 수와 연산 ■ 도형 ☐ 측정
☐ 규칙성 ☐ 확률과 통계

난이도 ★ ★ ☆

1 지섭이는 오늘 집에서 출발하여 문구점, 서점, 안경점을 어느 한 곳도 빠지지 않고 한 번씩만 들러서 볼 일을 보고 다시 집으로 돌아올 계획이다. 다음 표에서 숫자는 두 지점 사이의 거리라고 할 때, 가장 많이 이동한 거리와 가장 적게 이동한 거리의 차를 풀이과정과 함께 구하시오. [5점]

구분	집	문구점	서점	안경점
집	0	50	150	70
문구점	50	0	80	100
서점	150	80	0	90
안경점	70	100	90	0

• 풀이과정

• 답

평가 영역
□ 수학 사고력   □ 수학 창의성
■ 수학 STEAM

평가 요소
□ 개념 이해력   □ 개념 응용력
□ 유창성   □ 독창성 및 융통성
□ 문제 파악 능력   ■ 문제 해결 능력

교과 영역
□ 수와 연산   ■ 도형   ■ 측정
□ 규칙성   □ 확률과 통계

난이도 ★ ★ ★

2 우리는 효율적인 여행 경로를 정하거나 심부름길의 경로를 정할 때 해밀턴 회로를 사용하고 있다. 이처럼 해밀턴 회로가 우리 생활에 사용되는 경우를 다섯 가지 서술하시오. [10점]

❶

❷

❸

❹

❺

수학 STEAM
20

평가 영역

☐ 수학 사고력 ☐ 수학 창의성
■ 수학 STEAM

평가 요소

☐ 개념 이해력 ☐ 개념 응용력
☐ 유창성 ☐ 독창성 및 융통성
■ 문제 파악 능력 ☐ 문제 해결 능력

교과 영역

■ 수와 연산 ☐ 도형 ■ 측정
☐ 규칙성 ☐ 확률과 통계

난이도 ★ ★ ☆

다음 기사를 읽고 물음에 답하시오.

기사

서울시에서 하루 동안 소비되는 피자는 몇 판일까? 한강의 물은 몇 리터일까? 이런 문제들에 대해 추정 논법을 사용해 단시간에 대략적인 답을 생각해내는 방법을 '페르미 추정'이라고 한다. 이것은 제한된 시간과 부족한 자료 속에서도 생각의 힘만으로 결과를 알아내는 것으로, 정확한 수치를 구하기 보다는 대략적인 자릿수를 산출하는 데 무게를 더 둔다. 페르미 문제는 출제자 자신도 정답을 모르며, 정답이 없다.

1 다음 주제를 페르미 추정의 방법으로 해결하려고 한다. 주제를 해결하기 위해 꼭 알아야 할 요소를 다섯 가지 쓰시오. (단, 미용사에 이발사도 포함된다.) [5점]

> 서울시에 필요한 적정 미용사 수는 몇 명일까?

① _____

② _____

③ _____

④ _____

⑤ _____

평가 영역
□ 수학 사고력   □ 수학 창의성
■ 수학 STEAM

평가 요소
□ 개념 이해력   □ 개념 응용력
□ 유창성   □ 독창성 및 융통성
□ 문제 파악 능력   ■ 문제 해결 능력

교과 영역
■ 수와 연산   □ 도형   ■ 측정
□ 규칙성   □ 확률과 통계

난이도 ★ ★ ★

2 **1**의 요소와 다음 자료를 이용하여 서울시에 필요한 적정 미용사 수를 풀이과정과 함께 구하시오. [10점]

> 서울시 인구는 약 1000만 명이며, 남녀 비율은 1 : 1로 본다.

안쌤의 창의적 문제해결력

파이널 50제

수학3

초등
5·6
학년

평가 영역
■ 수학 사고력   □ 수학 창의성
□ 수학 STEAM

평가 요소
■ 개념 이해력   □ 개념 응용력
□ 유창성   □ 독창성 및 융통성
□ 문제 파악 능력   □ 문제 해결 능력

교과 영역
■ 수와 연산   □ 도형   □ 측정
□ 규칙성   □ 확률과 통계

난이도 ★ ★ ☆

몇 명의 농부들이 두 논의 벼를 베려고 하는데 한 논의 넓이는 다른 논의 3배이다.

> 첫째 날에는 모든 농부들이 하루 종일 큰 논의 벼만 베었다.
> 둘째 날에는 농부들이 같은 인원씩 세 팀으로 나누어 두 팀은 하루 종일 큰 논의 벼만 베었고, 다른 한 팀은 작은 논의 벼만 벤 결과 큰 논의 벼는 모두 베었지만 작은 논의 벼는 아직 남아 있었다.
> 셋째 날에는 2명의 농부가 하루 종일 작은 논의 벼만 베어서 간신히 작은 논의 벼도 모두 벨 수 있었다.

위와 같이 일을 했을 때 벼를 벤 농부는 모두 몇 명인지 풀이과정과 함께 구하시오. (단, 농부 한 명이 하루 종일 벤 벼의 양은 모두 같다.) [8점]

• 풀이과정

• 답

평가 영역
■ 수학 사고력 □ 수학 창의성
□ 수학 STEAM

평가 요소
□ 개념 이해력 ■ 개념 응용력
□ 유창성 □ 독창성 및 융통성
□ 문제 파악 능력 □ 문제 해결 능력

교과 영역
□ 수와 연산 ■ 도형 □ 측정
□ 규칙성 □ 확률과 통계

난이도 ★ ★ ☆

다음 그림에서 직육면체의 꼭짓점 A에서 변 CD 위의 점 K를 지나 점 G에 이르는 선을 그리려고 한다. 선이 가장 짧을 때의 선분 DK의 길이를 풀이과정과 함께 구하시오. [8점]

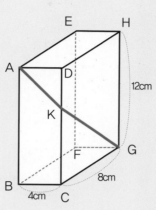

• 풀이과정

• 답

수학 사고력

23

평가 영역
■ 수학 사고력 ☐ 수학 창의성
☐ 수학 STEAM

평가 요소
☐ 개념 이해력 ■ 개념 응용력
☐ 유창성 ☐ 독창성 및 융통성
☐ 문제 파악 능력 ☐ 문제 해결 능력

교과 영역
■ 수와 연산 ☐ 도형 ☐ 측정
☐ 규칙성 ☐ 확률과 통계

난이도 ★ ★ ★

모양과 크기가 같은 동전 26개가 있다. 그중 한 개의 동전이 다른 동전보다 가볍다고 한다. 한 번 사용할 때마다 1000원씩 내고 사용하는 양팔 저울을 이용하여 가벼운 동전을 찾아내려면 최소 얼마가 필요한지 풀이과정과 함께 구하시오. [8점]

• 풀이과정

• 답

수학 사고력

24

평가 영역

■ 수학 사고력 □ 수학 창의성
□ 수학 STEAM

평가 요소

■ 개념 이해력 □ 개념 응용력
□ 유창성 □ 독창성 및 융통성
□ 문제 파악 능력 □ 문제 해결 능력

교과 영역

■ 수와 연산 □ 도형 □ 측정
□ 규칙성 □ 확률과 통계

난이도 ★ ★ ☆

같은 크기의 두 시험관 A, B에 a, b, c 세 용액이 가득 채워져 있다. 시험관 A에 들어 있는 세 용액의 비는 2 : 1 : 1이고, 시험관 B에 들어 있는 세 용액의 비는 3 : 2 : 1이다. 두 시험관의 용액을 완전히 섞었을 때, 세 용액의 비를 풀이과정과 함께 구하시오. [8점]

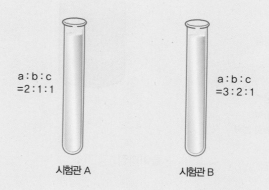

a : b : c
=2 : 1 : 1

a : b : c
=3 : 2 : 1

시험관 A   시험관 B

• 풀이과정

• 답

평가 영역
■ 수학 사고력 □ 수학 창의성
□ 수학 STEAM

평가 요소
■ 개념 이해력 □ 개념 응용력
□ 유창성 □ 독창성 및 융통성
□ 문제 파악 능력 □ 문제 해결 능력

교과 영역
□ 수와 연산 □ 도형 ■ 측정
□ 규칙성 □ 확률과 통계

난이도 ★ ★ ★

가로와 세로의 비가 5 : 2인 직사각형 모양의 철판을 둥글게 말아서 그림과 같이 두 가지 모양의 원통을 만들었다. 두 원통의 부피의 비를 풀이과정과 함께 구하시오. [8점]

(가)

(나)

• 풀이과정

• 답

평가 영역
☐ 수학 사고력   ■ 수학 창의성
☐ 수학 STEAM

평가 요소
☐ 개념 이해력   ☐ 개념 응용력
■ 유창성   ■ 독창성 및 융통성
☐ 문제 파악 능력   ☐ 문제 해결 능력

교과 영역
☐ 수와 연산   ■ 도형   ☐ 측정
☐ 규칙성   ☐ 확률과 통계

난이도 ★ ★ ☆

다음 전개도를 이용하여 만든 입체도형의 특징을 열 가지 서술하시오. [10점]

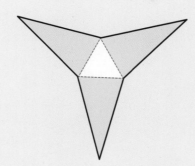 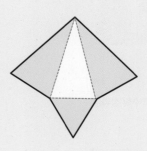

Ⅰ

2

3

4

5

6

7

8

9

l0

수학 창의성

27

평가 영역
☐ 수학 사고력 ■ 수학 창의성
☐ 수학 STEAM

평가 요소
☐ 개념 이해력 ☐ 개념 응용력
■ 유창성 ■ 독창성 및 융통성
☐ 문제 파악 능력 ☐ 문제 해결 능력

교과 영역
☐ 수와 연산 ☐ 도형 ■ 측정
☐ 규칙성 ☐ 확률과 통계

난이도 ★ ★ ★

온도계를 이용해 63빌딩의 높이를 구할 수 있는 방법을 다섯 가지 서술하시오. [10점]

①

②

③

④

⑤

수학 창의성 28

평가 영역
☐ 수학 사고력   ■ 수학 창의성
☐ 수학 STEAM

평가 요소
☐ 개념 이해력   ☐ 개념 응용력
■ 유창성   ☐ 독창성 및 융통성
☐ 문제 파악 능력   ☐ 문제 해결 능력

교과 영역
☐ 수와 연산   ■ 도형   ☐ 측정
☐ 규칙성   ☐ 확률과 통계

난이도 ★ ★ ★

다음 그림과 같이 크기가 같은 정사각형 5개를 변이 꼭 맞도록 붙여서 뚜껑이 없는 상자 모양을 만들려고 한다. 상자 모양의 전개도를 여덟 가지 그리시오. (단, 돌리거나 뒤집어서 겹쳐지는 것은 하나로 본다.) [10점]

평가 영역
□ 수학 사고력 □ 수학 창의성
■ 수학 STEAM

평가 요소
□ 개념 이해력 □ 개념 응용력
□ 유창성 □ 독창성 및 융통성
■ 문제 파악 능력 □ 문제 해결 능력

교과 영역
■ 수와 연산 □ 도형 □ 측정
□ 규칙성 ■ 확률과 통계

난이도 ★ ★ ★

다음 기사를 읽고 물음에 답하시오.

기사

우리나라의 비만 인구가 계속 증가하고 있다. 지난해 통계청이 발표한 자료에 따르면, 비만인 여성은 전체 여성의 $\frac{143}{500}$로 사상 최고치를 기록했다. 남성까지 포함한 19살 이상 비만 인구는 $\frac{8}{25}$로 그 전해보다 증가했으며 비만인 어린이·청소년의 수도 계속 증가하여 전체 어린이·청소년의 $\frac{1}{10}$을 넘어섰다. 특히 소아 시기의 비만은 성인 시기까지 이어지는 경우가 많다. 소아 시기의 비만은 심리·사회적 영향을 주어 소아 청소년 시기에 얻어야 할 자아존중감 등이 결여되는 등 신체적 뿐만 아니라 정서적으로도 좋지 않은 영향을 미치므로 비만이 되지 않도록 주의하는 것이 중요하다.

1 지후네 반 전체 학생들 중 비만인 학생은 $\frac{2}{13}$이고, 재민이네 반 전체 학생들 중 비만인 학생은 $\frac{7}{52}$이다. 비만 정도가 더 심한 반과 비만인 학생 수가 더 많은 반을 풀이과정과 함께 구하시오. [5점]

• 풀이과정

• 답

2 다음은 초·중·고교 비만 학생 비율 추이를 2년 간격으로 조사하여 그 래프로 나타낸 것이다. 초·중·고교 비만 학생 비율이 그래프와 같이 변화된 원인을 추리하여 다섯 가지 서술하시오. [10점]

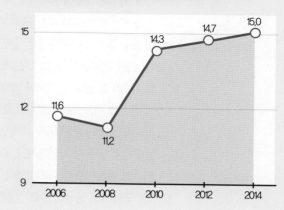

초중고교 비만 학생 비율 추이 (단위 : %)

① _____

② _____

③ _____

④ _____

⑤ _____

수학 STEAM 30

다음 기사를 읽고 물음에 답하시오.

기사

세계 인구는 지난 반세기 동안 급격히 증가하였다. 세계 인구 변화는 자연 증가로 이루어지며, 출생자 수에서 사망자 수를 뺀 것이다. 20세기 중반까지 세계의 인구 증가를 가져온 것은 선진국이었다. 선진국은 높은 공업 생산력을 바탕으로 아이를 많이 낳았으며 의학의 발달과 환경의 개선으로 사망자가 줄어들면서 총인구가 증가하였다.

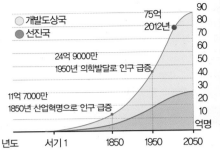

하지만 20세기 후반 이후 세계 인구 증가를 주도하고 있는 것은 개발도상국이다. 특히 개발도상국 인구의 자연증가율, 즉 '출생률－사망률'은 1945~1960년대에 이례적으로 높아 인구가 폭발적으로 증가하였다. 실제로 인구 증가율이 높은 지역은 개발도상국과 세계 최빈국들이다. 농업이 주요 산업인 경우 자식의 수를 재산(노동력)으로 보기 때문이다. 세계에서 합계 출산율, 즉 여성 한 명이 낳는 아이의 수가 가장 많은 나라는 니제르로 7.90명이다. 이 밖에 기니비사우 6.99명, 아프가니스탄 6.95명, 부룬디 6.77명, 라이베리아 6.70명 등으로 아프리카와 아시아 국가에서 출산율이 매우 높게 나타난다. 반면 선진국의 경우 독일, 일본, 한국 등을 중심으로 인구가 감소하고 있으며, 인구가 늘고 있는 선진국이라고 하더라도 미국을 제외하면 인구 증가 정도는 미미한 수준이다.

평가 영역
□ 수학 사고력 □ 수학 창의성
■ 수학 STEAM

평가 요소
□ 개념 이해력 □ 개념 응용력
□ 유창성 □ 독창성 및 융통성
■ 문제 파악 능력 □ 문제 해결 능력

교과 영역
□ 수와 연산 □ 도형 □ 측정
■ 규칙성 ■ 확률과 통계

난이도 ★ ★ ☆

① 우리나라 전체의 인구는 점점 줄어들고 있지만 전 세계적으로는 인구가 계속 증가하고 있다고 한다. 인구 증가로 인해 생기는 장점과 단점, 흥미로운 점을 각각 한 가지씩 서술하시오. [5점]

• 장점

• 단점

• 흥미로운 점

평가 영역
☐ 수학 사고력   ☐ 수학 창의성
■ 수학 STEAM

평가 요소
☐ 개념 이해력   ☐ 개념 응용력
☐ 유창성   ☐ 독창성 및 융통성
☐ 문제 파악 능력   ■ 문제 해결 능력

교과 영역
☐ 수와 연산   ☐ 도형   ■ 측정
☐ 규칙성   ■ 확률과 통계

난이도 ★ ★ ☆

2 다음은 현재 인구 수를 실시간으로 보여주는 수학적 자료이다. 주어진 자료에서의 인구 수와 실제 인구 수와의 차이는 얼마나 될지 자신의 생각을 수학적인 근거를 바탕으로 서술하시오. [10점]

현재 전 세계 인구 수 :
7,109,940,544

오늘의 인구 증가

255,760　출생
109,233　사망

안쌤의 창의적 문제해결력

파이널 50제

수학4

평가 영역

■ 수학 사고력　□ 수학 창의성
□ 수학 STEAM

평가 요소

■ 개념 이해력　□ 개념 응용력
□ 유창성　□ 독창성 및 융통성
□ 문제 파악 능력 □ 문제 해결 능력

교과 영역

■ 수와 연산 □ 도형 □ 측정
□ 규칙성 □ 확률과 통계

난이도 ★ ☆ ☆

어떤 액체가 얼어서 고체가 될 때 부피가 $\frac{1}{20}$이 늘어난다. 다시 그 고체가 녹아서 액체가 될 때, 고체 부피가 어느 정도 줄어드는지 풀이과정과 함께 구하시오. [8점]

· 풀이과정

· 답

수학
4
강

수학 사고력
32

평가 영역
■ 수학 사고력　□ 수학 창의성
□ 수학 STEAM

평가 요소
□ 개념 이해력　■ 개념 응용력
□ 유창성　□ 독창성 및 융통성
□ 문제 파악 능력　□ 문제 해결 능력

교과 영역
□ 수와 연산　■ 도형　□ 측정
□ 규칙성　□ 확률과 통계

난이도 ★ ★ ☆

다음과 같은 정사면체를 어떤 평면으로 잘랐더니 자른 단면의 넓이가 25 cm²
인 정사각형이 되었다. 이 정사면체의 모서리의 길이를 풀이과정과 함께 구
하시오. [8점]

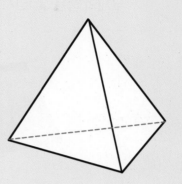

• 풀이과정

• 답

수학 사고력

33

평가 영역
■ 수학 사고력 □ 수학 창의성
□ 수학 STEAM

평가 요소
■ 개념 이해력 □ 개념 응용력
□ 유창성 □ 독창성 및 융통성
□ 문제 파악 능력 □ 문제 해결 능력

교과 영역
■ 수와 연산 □ 도형 □ 측정
□ 규칙성 □ 확률과 통계

난이도 ★ ★ ☆

넓이가 $1a$인 철판과 나무 판이 각각 1개씩 있다. 철판의 가로를 $\frac{2}{5}$, 세로를 $\frac{3}{5}$으로 줄여서 무게를 재어 보니 468 kg이었고, 나무 판의 가로를 0.6, 세로를 0.8로 줄여서 무게를 재어 보니 168 kg이었다. 넓이가 $1a$인 철판과 나무 판의 무게의 합은 몇 t인지 풀이과정과 함께 구하시오. [8점]

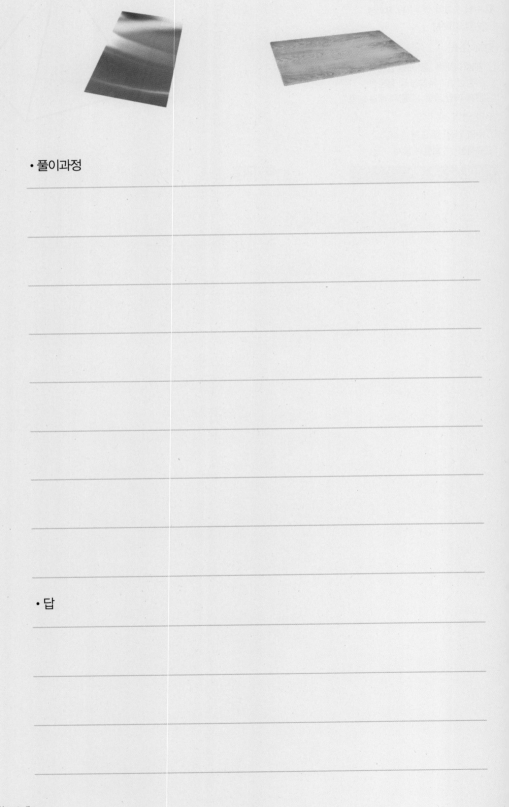

• 풀이과정

• 답

수학 사고력

34

평가 영역
■ 수학 사고력 □ 수학 창의성
□ 수학 STEAM

평가 요소
□ 개념 이해력 ■ 개념 응용력
□ 유창성 □ 독창성 및 융통성
□ 문제 파악 능력 □ 문제 해결 능력

교과 영역
□ 수와 연산 □ 도형 ■ 측정
□ 규칙성 □ 확률과 통계

난이도 ★ ★ ★

다음 그림과 같은 모양의 그릇에 매분 일정한 양의 물을 3분간 부었더니 채워진 물의 높이가 4 cm가 되었다. 물을 가득 채우기 위해서는 몇 분간 더 부어야 하는지 풀이과정과 함께 구하시오. [8점]

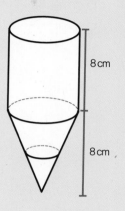

8 cm

8 cm

• 풀이과정

• 답

평가 영역
■ 수학 사고력 □ 수학 창의성
□ 수학 STEAM

평가 요소
■ 개념 이해력 □ 개념 응용력
□ 유창성 □ 독창성 및 융통성
□ 문제 파악 능력 □ 문제 해결 능력

교과 영역
■ 수와 연산 □ 도형 □ 측정
□ 규칙성 □ 확률과 통계

난이도 ★ ★ ★

길이가 같은 2개의 막대를 사용하여 ㉮, ㉯ 두 지점에서 연못의 깊이를 재었다. ㉮ 지점에서는 막대 전체 길이의 $\frac{18}{25}$이 물속에 잠겼고, ㉯ 지점에서는 막대 전체 길이의 0.84가 물속에 잠겼다. 수면 위에 나온 두 막대의 길이 차가 15 cm일 때 ㉮ 지점에서의 연못의 깊이는 얼마인지 풀이과정과 함께 구하시오. [8점]

• 풀이과정

• 답

평가 영역

☐ 수학 사고력　■ 수학 창의성
☐ 수학 STEAM

평가 요소

☐ 개념 이해력　☐ 개념 응용력
■ 유창성　■ 독창성 및 융통성
☐ 문제 파악 능력　☐ 문제 해결 능력

교과 영역

☐ 수와 연산　☐ 도형　■ 측정
☐ 규칙성　☐ 확률과 통계

난이도 ★ ★ ★

혜빈이는 기차여행을 하던 중 지금 타고 있는 기차의 속력이 궁금하였다. 혜빈이가 기차 안에서 기차의 속력을 알아낼 수 있는 방법을 다섯 가지 서술하시오. [10점]

$$속력 = \frac{이동한 거리}{이동하는 데 걸린 시간}$$

① _____

_____

② _____

_____

③ _____

_____

④ _____

_____

⑤ _____

_____

평가 영역
☐ 수학 사고력 ■ 수학 창의성
☐ 수학 STEAM

평가 요소
☐ 개념 이해력 ☐ 개념 응용력
■ 유창성 ☐ 독창성 및 융통성
☐ 문제 파악 능력 ☐ 문제 해결 능력

교과 영역
☐ 수와 연산 ■ 도형 ☐ 측정
☐ 규칙성 ☐ 확률과 통계

난이도 ★ ★ ☆

다음 그림은 12개의 점을 같은 간격으로 배열한 점판이다. 이 점판 위의 네 점을 꼭짓점으로 하여 두 대각선의 길이가 다른 평행사변형을 여덟 개 그리시오. (단, 회전하거나 상하좌우로 뒤집어서 같은 모양이 되는 도형은 한 개의 도형으로 본다.) [10점]

수
학
4
강

수학 창의성

38

평가 영역
☐ 수학 사고력　■ 수학 창의성
☐ 수학 STEAM

평가 요소
☐ 개념 이해력　☐ 개념 응용력
■ 유창성　■ 독창성 및 융통성
☐ 문제 파악 능력　☐ 문제 해결 능력

교과 영역
☐ 수와 연산　☐ 도형　☐ 측정
■ 규칙성　☐ 확률과 통계

난이도 ★ ★ ★

다음 수들 사이에서 찾을 수 있는 패턴이나 규칙을 찾아 다섯 가지 서술하시오. [10점]

1										
1	1									
1	2	1								
1	3	3	1							
1	4	6	4	1						
1	5	10	10	5	1					
1	6	15	20	15	6	1				
1	7	21	35	35	21	7	1			
1	8	28	56	70	56	28	8	1		
1	9	36	84	126	126	84	36	9	1	
1	10	45	120	252	252	210	120	45	10	1

❶

❷

❸

❹

❺

다음 기사를 읽고 물음에 답하시오.

기사

시간에 쫓기는 현대인들은 식사시간조차 아까워 짧은 시간에 식사를 해결한다. 또 각종 조미료와 부드럽게 가공된 음식들에 길들여져 음식을 꼭꼭 씹어 먹지 않는다. 이러한 식습관이 건강에 좋지 않다는 것은 잘 알고 있지만 고치기는 쉽지 않다. 최근 음식을 천천히 꼭꼭 씹어 먹는 것이 건강에 효과적이라는 사실이 다시 한 번 주목을 받고 있다. 연구 결과 음식을 꼭꼭 씹어 먹게 되면 여러 가지 좋은 점이 있다고 한다.

첫째, 뇌기능이 활성화되고 얼굴 근육이 발달하여 표정이 풍부해지게 된다.

둘째, 음식을 씹는 동안 타액 분비가 활발해져 유해물질이나 식품첨가물, 잔류농약 등의 흡수를 줄일 수 있다.

셋째, 잘게 부수어진 음식은 소화가 잘 되므로 평소 속이 더부룩하거나 소화불량으로 고통받는 사람들은 꼭꼭 씹어 먹는 것만으로도 증상을 줄일 수 있다.

여유로운 마음가짐과 약간의 노력만 있다면 꼭꼭 씹어 먹기의 효과를 누릴 수 있다.

1 음식을 꼭꼭 씹어 먹으면 소화가 잘 되는 이유를 정육면체의 겉넓이와 부피를 이용하여 서술하시오. [5점]

평가 영역
□ 수학 사고력 □ 수학 창의성
■ 수학 STEAM

평가 요소
□ 개념 이해력 □ 개념 응용력
□ 유창성 □ 독창성 및 융통성
■ 문제 파악 능력 □ 문제 해결 능력

교과 영역
■ 수와 연산 □ 도형 ■ 측정
□ 규칙성 □ 확률과 통계

난이도 ★ ★ ☆

평가 영역
□ 수학 사고력 □ 수학 창의성
■ 수학 STEAM

평가 요소
□ 개념 이해력 □ 개념 응용력
□ 유창성 □ 독창성 및 융통성
□ 문제 파악 능력 ■ 문제 해결 능력

교과 영역
□ 수와 연산 ■ 도형 ■ 측정
□ 규칙성 □ 확률과 통계

난이도 ★ ★ ★

2 음식을 꼭꼭 씹어 먹으면 소화가 잘되는 것처럼 우리 일상생활에서도 이러한 원리가 많이 적용된다. 이 원리가 적용된 경우를 원리와 함께 다섯 가지 서술하시오. [10점]

❶

❷

❸

❹

❺

수학 STEAM
40

다음 기사를 읽고 물음에 답하시오.

기사

비례대표제는 다수대표제나 소수대표제의 단점을 보완하기 위해 고안된 제도로서, 둘 이상의 정당이 있는 경우에 각 정당의 득표 수에 비례하여 국회의원을 선출하는 선거 제도이다. 과거 비례대표제는 유권자가 국회의원 후보자 개인에게만 투표하면 지역구 후보의 총 득표 수에 따라 정당별로 비례대표 국회의원, 즉 전국구 의원을 배분하는 형식이었다. 현재는 유권자가 자신이 지지하는 정당에도 따로 투표할 수 있도록 '1인 2표 정당명부 제도'를 도입하여 2002년 6.13 선거부터, 국회의원 선거의 경우 2004년 4.15 총선부터 '1인 2표 정당 명부식 비례대표제'가 도입되었다. 국회의원은 지역구 국회의원과 정당별 비례대표 국회의원으로 나뉘는데, 유권자는 지역구 국회의원에 한 표, 지지 정당에 한 표를 행사할 수 있다.

전국 평균 투표율

54.3%

투표자 수 21,805,917 표
선거인 수 40,181,623 명

- - - - - - - - - - - - - - - - - - - -

정당별 의석수

총의석수
300

정당	지역구	비례	총의석
■ 새누리당	127	25	152
□ 민주통합당	106	21	127
■ 통합진보당	7	6	13
□ 자유선진당	3	2	5
■ 무소속	3	–	3
합계	246	54	300

지역구 국회의원은 후보자 중에서 득표율 등에 관계없이 최다 득표자가 국회의원으로 선출되며, 비례대표 국회의원은 유권자가 지지 정당에 던진 표의 수를 합해 정당별 지지율에 따라 국회의원을 배분하게 된다.

1 어느 정당의 득표율이 12 %이고 득표율에 따른 비례대표의 수가 36명일 때, 비례대표 의석 수를 풀이과정과 함께 구하시오. [5점]

· 풀이과정

_____

_____

_____

_____

· 답

_____

_____

_____

_____

평가 영역

□ 수학 사고력   □ 수학 창의성
■ 수학 STEAM

평가 요소

□ 개념 이해력   □ 개념 응용력
□ 유창성   □ 독창성 및 융통성
□ 문제 파악 능력   ■ 문제 해결 능력

교과 영역

■ 수와 연산   □ 도형   ■ 측정
□ 규칙성   □ 확률과 통계

난이도 ★ ★ ★

2 다음은 2008년 제18대 국회의원 총선에서 각 정당들이 얻은 득표율이다.
총 54석의 비례대표 의석을 비례배분 방식에 따라 배분한다면 친박연대의
비례대표는 몇 명이 적당할지 수학적 근거를 들어 서술하시오. [10점]

18대 국회의원 선거(2008년) 정당별 비례대표 득표율 (단위 : %)

한나라당	통합민주당	친박연대	자유선진당				
37.5	25.2	13.2	6.8	5.7	3.8	2.9	4.9

민주노동당
창조한국당
진보신당
기타

안쌤의 창의적 문제해결력

파이널 50제

수학 5

초등
5 · 6
학년

수학 사고력
41

평가 영역
■ 수학 사고력　□ 수학 창의성
□ 수학 STEAM

평가 요소
■ 개념 이해력　□ 개념 응용력
□ 유창성　　　□ 독창성 및 융통성
□ 문제 파악 능력　□ 문제 해결 능력

교과 영역
■ 수와 연산　□ 도형　□ 측정
□ 규칙성　□ 확률과 통계

난이도 ★ ★ ☆

동휘네 반 학생들에게 노트를 나누어 주려고 한다. 한 학생에게 7권씩 노트를 나누어 주면 5권이 남고, 5권씩 나누어 주면 3권이 남는다고 한다. 노트 수는 40권보다 많고 100권보다 작다고 할 때, 노트 수를 풀이과정과 함께 구하시오. [8점]

• 풀이과정

• 답

평가 영역
■ 수학 사고력　□ 수학 창의성
□ 수학 STEAM

평가 요소
■ 개념 이해력　□ 개념 응용력
□ 유창성　□ 독창성 및 융통성성
□ 문제 파악 능력　□ 문제 해결 능력

교과 영역
□ 수와 연산　■ 도형　□ 측정
□ 규칙성　□ 확률과 통계

난이도 ★ ★ ☆

다음 그림과 같은 넓이가 21 cm²인 삼각형 ABC가 있다. 변 BE의 길이는 변 BC의 길이의 $\frac{2}{3}$이고, 변 AF의 길이는 변 AE의 길이의 $\frac{1}{2}$이다. 삼각형 ABF의 넓이를 풀이과정과 함께 구하시오. [8점]

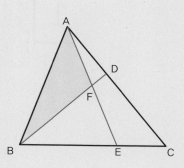

• 풀이과정

_____

_____

_____

_____

_____

_____

_____

_____

• 답

_____

_____

수학 사고력

43

평가 영역

■ 수학 사고력　□ 수학 창의성
□ 수학 STEAM

평가 요소

□ 개념 이해력　■ 개념 응용력
□ 유창성　■ 독창성 및 융통성
□ 문제 파악 능력 □ 문제 해결 능력

교과 영역

■ 수와 연산 □ 도형 □ 측정
□ 규칙성 □ 확률과 통계

난이도 ★ ★ ☆

다음과 같이 다섯 종류의 숫자 카드 중에서 4장을 뽑아 두 자리 수와 두 자리 수의 곱셈식을 만들려고 한다. 식의 값이 홀수가 되는 경우는 모두 몇 가지인지 풀이과정과 함께 구하시오. [8점]

| 1 | 2 | 3 | 5 | 7 |

• 풀이과정

• 답

수학 5강

수학 사고력
44

평가 영역
■ 수학 사고력　□ 수학 창의성
□ 수학 STEAM

평가 요소
■ 개념 이해력　□ 개념 응용력
□ 유창성　□ 독창성 및 융통성
□ 문제 파악 능력　□ 문제 해결 능력

교과 영역
■ 수와 연산　□ 도형　□ 측정
□ 규칙성　□ 확률과 통계

난이도 ★ ★ ☆

효진이네 반 학생 25명이 수학 시험을 보았다. 만약 남학생의 평균 점수만 7점을 올리면 반 평균 점수가 79.6점이 되고, 여학생의 평균 점수만 7점을 올리면 반 평균 점수가 78.2점이 된다고 한다. 효진이네 반 학생들의 수학 평균 점수를 풀이과정과 함께 구하시오. [8점]

• 풀이과정

• 답

평가 영역
■ 수학 사고력　□ 수학 창의성
□ 수학 STEAM

평가 요소
□ 개념 이해력　■ 개념 응용력
□ 유창성　□ 독창성 및 융통성
□ 문제 파악 능력　□ 문제 해결 능력

교과 영역
■ 수와 연산　□ 도형　□ 측정
□ 규칙성　□ 확률과 통계

난이도 ★ ★ ★

다음은 기호 ⊙의 규칙을 나타낸 것이다. 기호 ⊙의 규칙을 찾아 □ 안에 들어갈 수를 풀이과정과 함께 구하시오. [8점]

$$10 ⊙ 2 = 0$$
$$12 ⊙ 10 = 4$$
$$12 ⊙ 9 = 6$$
$$7 ⊙ 4 = \square$$

· 풀이과정

· 답

평가 영역
☐ 수학 사고력 ■ 수학 창의성
☐ 수학 STEAM

평가 요소
☐ 개념 이해력 ☐ 개념 응용력
■ 유창성 ■ 독창성 및 융통성
☐ 문제 파악 능력 ☐ 문제 해결 능력

교과 영역
☐ 수와 연산 ☐ 도형 ■ 측정
☐ 규칙성 ☐ 확률과 통계

난이도 ★ ★ ☆

다음 두 종류의 삼각자를 이용해 측정할 수 있는 180°보다 작은 모든 각을 풀이과정과 함께 구하시오. [10점]

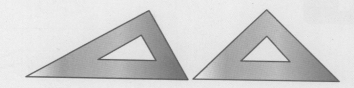

• 풀이과정

_____

_____

_____

_____

_____

_____

_____

_____

• 답

_____

_____

_____

수학 창의성
47

다음은 어느 해 3월 25일에 서울과 원주의 기온을 일정한 시간 간격으로 측정하여 나타낸 그래프이다. 그래프를 보고 해결할 수 있는 문제를 열 가지 만드시오. [10점]

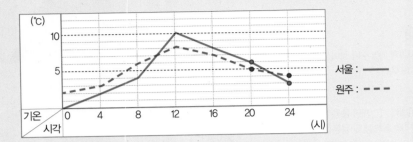

평가 영역
☐ 수학 사고력　■ 수학 창의성
☐ 수학 STEAM

평가 요소
☐ 개념 이해력　☐ 개념 응용력
■ 유창성　■ 독창성 및 융통성
☐ 문제 파악 능력　☐ 문제 해결 능력

교과 영역
☐ 수와 연산　☐ 도형　■ 측정
☐ 규칙성　■ 확률과 통계

난이도 ★ ★ ☆

❶ _____

❷ _____

❸ _____

❹ _____

❺ _____

❻ _____

❼ _____

❽ _____

❾ _____

❿ _____

_____

_____

_____

수학 창의성
48

평가 영역
□ 수학 사고력 ■ 수학 창의성
□ 수학 STEAM

평가 요소
□ 개념 이해력 □ 개념 응용력
■ 유창성 ■ 독창성 및 융통성
□ 문제 파악 능력 문제 해결 능력

교과 영역
□ 수와 연산 ■ 도형 □ 측정
□ 규칙성 □ 확률과 통계

난이도 ★ ★ ★

다음은 한 도시의 모습을 그린 것이다. 그림에서 찾을 수 있는 수학적 원리를 열 가지 서술하시오. [10점]

① _____

② _____

③ _____

④ _____

⑤ _____

⑥ _____

⑦ _____

⑧ _____

⑨ _____

⑩ _____

수학 STEAM
49

다음 기사를 읽고 물음에 답하시오.

기사

우리가 알고 있는 유명한 건축물이나 조각 중 파리의 개선문, 그리스의 파르테논 신전, 이집트의 피라미드, 우리나라의 석굴암, 밀로의 비너스상 등은 모두 아름답기로 소문난 조각과 건축물들이다. 이것들의 공통점은 모두 황금비로 맞추어 지은 것이다. 이들의 아름다움은 균형미가 조화를 이루는 데서 나온다.

밀로의 비너스상은 고대 그리스의 조각으로, 1820년 키클라데스 제도의 하나인 밀로(메로스) 섬의 한 농부에 의해 발견된 대리석 조각으로 루이 18세의 왕명으로 루브르미술관에 소장되어 지금까지 많은 사람들의 사랑을 받는 유명한 조각상이다. 밀로의 비너스 상의 경우 배꼽을 중심으로 상반신과 하반신의 비율이 황금비 일뿐만 아니라 무릎을 기준으로 배꼽에서 무릎까지와 무릎에서 발끝까지의 비율 역시 황금비를 이루고 있다.

평가 영역
☐ 수학 사고력 ☐ 수학 창의성
■ 수학 STEAM

평가 요소
☐ 개념 이해력 ☐ 개념 응용력
☐ 유창성 ☐ 독창성 및 융통성
■ 문제 파악 능력 ☐ 문제 해결 능력

교과 영역
■ 수와 연산 ☐ 도형 ☐ 측정
■ 규칙성 ☐ 확률과 통계

난이도 ★ ★ ☆

❶ 해바라기 씨는 최소의 공간에 최대의 씨앗을 촘촘하게 배치하기 위해 피보나치 수열에 따라 씨를 배열한다. 이 피보나치 수열은 앞의 두 수의 합이 바로 뒤의 수가 되는 수의 배열로 이를 이용해 황금비를 구할 수 있다. 피보나치 수열을 이용하여 황금비가 얼마인지 풀이과정과 함께 구하시오. [5점]

[피보나치 수열]
1, 1, 2, 3, 5, 8, 13, 21, 34, 55, 89, ……

• 풀이과정

_____

_____

_____

_____

• 답

_____

수학
5
강

평가 영역

□ 수학 사고력 □ 수학 창의성
■ 수학 STEAM

평가 요소

□ 개념 이해력 □ 개념 응용력
□ 유창성 □ 독창성 및 융통성
□ 문제 파악 능력 ■ 문제 해결 능력

교과 영역

□ 수와 연산 ■ 도형 □ 측정
■ 규칙성 □ 확률과 통계

난이도 ★ ★ ★

2 해바라기 씨앗의 배열과 같이 효율성 또는 아름다움을 위한 황금비를 자연에서 많이 찾을 수 있다. 또 황금비를 건축물이나 여러 가지 제품들에 활용한 경우도 많다. 우리가 알고 있거나 주변, 혹은 자연에서 찾을 수 있는 황금비를 열 가지 서술하시오. [10점]

❶

❷

❸

❹

❺

❻

❼

❽

❾

❿

수학 STEAM
50

평가 영역
□ 수학 사고력   □ 수학 창의성
■ 수학 STEAM

평가 요소
□ 개념 이해력   □ 개념 응용력
□ 유창성   □ 독창성 및 융통성
■ 문제 파악 능력   □ 문제 해결 능력

교과 영역
□ 수와 연산   ■ 도형   □ 측정
■ 규칙성   □ 확률과 통계

난이도 ★ ★ ☆

다음 기사를 읽고 물음에 답하시오.

> **기사**
>
> E-mail을 확인할 때, 집에 들어갈 때, 스마트폰을 사용할 때 반드시 필요한 것은 무엇일까? 바로 비밀번호이다. 비밀번호는 컴퓨터 프로그램이나 스마트폰 등에서 사용 가능한 사람인지 아닌지를 구분하는 보안수단이다.
>
> 최악의 비밀번호는 무엇일까? 미국의 한 보안업체의 조사에 따르면 지난해 가장 많이 유출된 비밀번호는 '123456'이다. 이 단순한 암호는 매년 1위를 다투는 비밀번호이다. 2위는 'PASSWORD'로 지난해 1위에서 한 계단 밀려나 이번 조사에서는 2위를 차지했다.

1 스마트폰 사용자들이 가장 많은 사람들이 사용하는 잠금 해제 방식은 비밀번호를 이용하는 방법과 패턴을 이용하는 방법이다. 두 가지 방법 중 더 효과적인 방법을 고르고 이유와 함께 서술하시오. [5점]

평가 영역
□ 수학 사고력 □ 수학 창의성
■ 수학 STEAM

평가 요소
□ 개념 이해력 □ 개념 응용력
□ 유창성 □ 독창성 및 융통성
□ 문제 파악 능력 ■ 문제 해결 능력

교과 영역
□ 수와 연산 □ 도형 ■ 측정
■ 규칙성 □ 확률과 통계

난이도 ★ ★ ★

2 다음은 스마트폰 지문을 이용해 스마트폰의 잠금을 해제하는 방법에 대한 글이다. 이처럼 스마트폰의 잠금 해제 방법은 나날이 발전하고 있다. 스마트폰의 잠금 해제 방법으로 사용할 수 있는 새로운 아이디어를 고안하고 원리와 함께 서술하시오. [10점]

기사

다양한 보안성과 활용도를 보여준 지문 인식 기능이 스마트폰에 적용되었다. 시크릿 모드의 경우 시크릿 모드와 일반 모드를 전환할 때, 자신의 지문으로 번거로운 보안 인증 과정을 거칠 필요 없이 자신만의 비밀을 지킬 수 있도록 했으며, 필요한 경우 언제든지 해제할 수 있도록 했다. 이 지문 인식 기능은 각종 편의점이나 서점 등에서 지문 인식 결제도 이용할 수 있도록 해, 단순히 스마트폰의 보안 용도가 아닌 좀 더 다양한 곳에서 이용이 가능하도록 했다.

50제 시리즈로 대비할 수 있는
수학 대회 안내

- ☑ **4월** 초등수학 창의사고력 대회
  – 서울교육대학교 주최

- ☑ **9월** 영재교육 대상자 선발
  – 교육청 주최

- ☑ 기출문제 및 예시문제

초등수학 창의사고력대회

목적

초등학생의 수학에 대한 흥미를 증진시키고, 수학에 대한 관심과 이해 정도를 파악할 수 있는 기회를 제공한다.

주최 · 주관 서울교육대학교 · 기초과학교육연구원

대상 및 참가인원

- 대상 : 전국 초등학교 3, 4, 5, 6학년 학생
- 참가비 : 40,000원(접수비 6,000원 포함)

일시 및 장소

- 접수 기간 : 4월(홈페이지 참조)
- 시험 일시 : 4월(홈페이지 참조)
- 시험 장소 : 서울교육대학교

시험 형식 및 출제 방향

- 시험 형식 : 주관식(단답형＋서술형) 문항
- 출제 범위 : 하위 학년 전 과정～해당 학년 1학기 전 과정
- 출제 방향 : 하위 학년 전 과정～해당 학년 1학기 전 과정
  - 학교에서 학습한 모든 과목의 기초 지식을 활용하여 창의적으로 문제를 해결하는 능력을 평가한다.
  - 6개 수학 능력(수리능력, 공간능력, 표상능력, 추론능력, 종합능력, 창의능력)의 수준을 평가한다.

홈페이지 http://bsedu.snue.ac.kr

[I] 어느 지하철역에는 에스컬레이터 옆에는 에스컬레이터와 같은 크기와 개수의 계단이 있다. 이 에스컬레이터는 1개 층을 올라가거나 내려가는데 걸리는 시간이 똑같이 30초가 걸린다. 진수가 이 에스컬레이터 옆에 있는 계단을 뛰어서 1개 층을 내려가는 데는 15초가 걸린다. ──(종합능력)

① 진수가 내려가고 있는 에스컬레이터의 계단을 뛰어서 내려가면 1개 층을 내려가는데 몇 초가 걸리는지 구하시오.

[모범답안] 10초

[해설] 1개 층의 계단이 30개라고 가정하면 에스컬레이터는 1초에 1개, 뛰면 1초에 2개를 움직인다. 내려가는 에스컬레이터에서 뛰어 내려가면 1초에 3개를 내려가는 것과 같으므로 1개 층(30개)을 내려가는 데 10초 걸린다.

② 진수가 올라오고 있는 에스컬레이터의 계단을 뛰어서 내려가면 1개 층을 내려가는데 몇 초가 걸리는지 구하시오.

[모범답안] 30초

[해설] 1개 층의 계단이 30개라고 가정하면 에스컬레이터는 1초에 1개, 뛰면 1초에 2개를 움직인다. 올라오고 있는 에스컬레이터에서 뛰어 내려가면 1초에 1개를 내려가는 것과 같으므로 1개 층(30개)을 내려가는 데 30초 걸린다.

[II] 아래 그림과 같이 정사각형 타일 5개, 4개로 만든 두 종류의 모양 (㉠, ㉡)이 있다. 이 두 가지 모양 각각을 4개씩 사용하여 직사각형을 만들었을 때 둘레의 길이가 가장 긴 것과 가장 짧은 것의 차이를 구하시오. ──(창의능력)

㉠   ㉡

예를 들어 가로가 9, 세로가 4인 직사각형은 다음과 같이 만들 수 있다.

[모범답안] 16

[해설] 둘레의 길이가 가장 긴 경우는 사각형의 가로와 세로의 길이 차가 가장 클 때이고, 둘레의 길이가 가장 짧은 경우는 정사각형일 때이다.

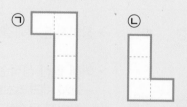

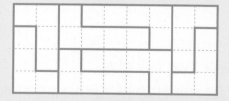

둘레의 길이가 가장 길 때 : $(2 \times 2) + (18 \times 2) = 40$
둘레의 길이가 가장 짧을 때 : $6 \times 4 = 24$
차 : $40 - 24 = 16$

영재교육 대상자 선발

👓 영재교육원 종류 및 시기

기관	선발 방법	선발 시기
교육지원청 영재교육원	창의적 문제해결력 및 면접 평가	11월~12월
단위학교 영재교육원	창의적 문제해결력 및 면접 평가	11월~12월
직속기관 영재교육원	창의적 문제해결력 및 면접 평가	11월~12월
영재학급	창의적 문제해결력 및 면접 평가	2월~3월
대학부설 영재교육원	창의적 문제해결력 및 면접 평가	8월~11월

※ 지역별로 선발 과정이 다를 수 있으니 반드시 해당 영재교육원 모집 공고를 확인하세요.

👓 일정 및 방법

• 교육지원청 영재교육원 및 직속기관, 단위학교 영재교육원

단계	주관	일정	세부 내용
지원 단계	학생	11월	• GED에서 지원서, 자기체크리스트 작성 • 지원서를 출력하여 소속 학교 담임교사에게 제출
추천 단계	소속 학교	11월	• 담임교사 학생 지원 자료 확인 및 창의적인성검사 제출 • 학교추천위원회 학교별 지원자 명단 확인 후 최종 추천
창의적 문제해결력 및 면접 평가 단계	교육지원청	12월	• 창의적 문제해결력 및 면접 평가 실시

최종 합격자 발표	교육지원청	12월	• 아래 합산 성적순
			  - 교사 체크리스트 : 20점
			  - 창의적 문제해결력 평가 : 70점
			  - 면접 : 10점

👓 유의 사항

• 동일 교육청 소속 영재교육원 중복 지원 불가
• 동일 학년도 내에서 영재교육기관 합격자는 타 영재교육기관에 지원 불가
• 중복 지원이 허용되는 경우 중복 합격이 가능하지만 중복 등록은 불가

[I] 다음 표는 온음표(온쉼표)를 1로 나타내었을 때 각 음의 길이를 분수로 나타낸 것이다.

음표	○ ①	♩ ②	♩ ③	♪ ④	♪ ⑤
쉼표	▬ ⑥	▬ ⑦	𝄽 ⑧	𝄾 ⑨	𝄿 ⑩
길이를 분수로	1	$\frac{1}{2}$	$\frac{1}{4}$	$\frac{1}{8}$	$\frac{1}{16}$

다음의 리듬악보와 같은 $\frac{6}{8}$ 박자 리듬악보를 5가지 만들고, 분수의 덧셈식으로 나타내보시오.

리듬악보	분수의 덧셈식
$\frac{6}{8}$ ——————‖	
$\frac{6}{8}$ ——————‖	
$\frac{6}{8}$ ——————‖	
$\frac{6}{8}$ ——————‖	
$\frac{6}{8}$ ——————‖	

[모범답안]

리듬악보	분수의 덧셈식
$\frac{6}{8}$ ♩ 𝄽 ‖	$\frac{1}{2}+\frac{1}{4}=\frac{6}{8}$
$\frac{6}{8}$ ♩ ♪ 𝄾 ‖	$\frac{1}{2}+\frac{1}{8}+\frac{1}{8}=\frac{6}{8}$
$\frac{6}{8}$ ♪ ♪♪ ▬ ‖	$\frac{1}{8}+\frac{1}{16}+\frac{1}{16}+\frac{1}{2}=\frac{6}{8}$
$\frac{6}{8}$ ♩ ♩ 𝄽 ‖	$\frac{1}{4}+\frac{1}{4}+\frac{1}{4}=\frac{6}{8}$
$\frac{6}{8}$ ♩ 𝄾 ♪♪𝄽 ‖	$\frac{1}{4}+\frac{1}{8}+\frac{1}{16}+\frac{1}{16}+\frac{1}{4}=\frac{6}{8}$

[해설] $\frac{6}{8}$을 단위분수로 나타낼 수 있는 방법을 찾는다. 같은 분수나 같은 음표, 쉼표를 중복해서 사용하기보다는 다양한 조합으로 악보를 만든다.

[Ⅱ] 다음 〈가〉, 〈나〉, 〈다〉에 들어갈 내용을 구하시오. (단, 사용된 수는 1부터 30까지의 수이다.)

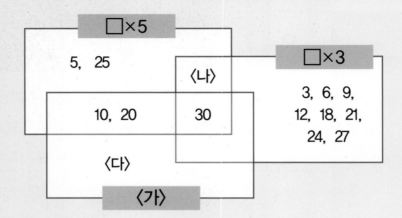

[모범답안] 〈가〉: □×10 , 〈나〉: 15, 〈다〉: 없음

[해설] 〈가〉는 10, 20, 30의 수를 포함하므로 □×10이다. 〈나〉는 3의 배수이면서 5의 배수이고, 30을 제외한 수이므로 15이다. 〈다〉는 1부터 30까지의 수 중에서 10의 배수이면서 10, 20, 30을 제외한 수이므로 해당하는 수는 없다.

[Ⅲ] 모바일 게임에서 금화를 모아 장비를 살 수 있다. 각 장비를 사기 위한 조건은 다음과 같다. 4가지 장비를 모두 사기 위해서는 총 몇 개의 금화가 필요한지 풀이과정과 함께 구하시오.

> • 칼 : 금화 5개
> • 방패 : 칼 두 자루 + 금화 3개
> • 갑옷 : 방패 2개 + 금화 4개
> • 말 : 칼 한 자루 + 방패 3개 + 갑옷 두 벌

[모범답안]
- 칼 = 금화 5개
- 방패 = 칼 두 자루 + 금화 3개 = 금화 (5×2)개 + 금화 3개 = 금화 13개
- 갑옷 = 방패 2개 + 금화 4개 = 금화 (13×2)개 + 금화 4개 = 금화 30개
- 말 = 칼 한 자루 + 방패 3개 + 갑옷 두 벌 = 금화 5개 + 금화 (13×3)개 + 갑옷 (30×2)개
  = 금화 5개 + 금화 39개 + 금화 60개 = 금화 104개

따라서 4가지 장비를 모두 사기 위해서 필요한 금화의 개수는 5 + 13 + 30 + 104 = 152(개)이다.

[Ⅳ] ○ 안에 사칙계산(+, −, ×, ÷)을 한 번씩 사용하여 계산한 값이 최소일 때, 그 계산식과 값을 구하시오.

$$\frac{1}{2}\ \bigcirc\ \frac{2}{3}\ \bigcirc\ \frac{3}{4}\ \bigcirc\ \frac{4}{5}\ \bigcirc\ \frac{5}{6} = \boxed{}$$

[모범답안] $\dfrac{1}{2} \times \dfrac{2}{3} + \dfrac{3}{4} - \dfrac{4}{5} \div \dfrac{5}{6} = \dfrac{1}{3} + \dfrac{3}{4} - \dfrac{24}{25} = \dfrac{(1\times4\times25)+(3\times3\times25)-(24\times3\times4)}{300} = \dfrac{100+225-288}{300} = \dfrac{37}{300}$

[해설] 각각의 수를 곱해 가장 작은 수가 되는 곳에 곱셈 기호를 넣고, 남은 수 중 나누기를 통해 가장 큰 수를 만들어 빼면 계산 값이 최소가 된다. 이에 알맞은 사칙계산 부호를 넣어 계산한다.

[Ⅴ] 다음 글을 읽고 과일가게 주인이 위조지폐로 인해 손해 본 총 금액을 구하고 그렇게 생각한 이유를 서술하시오.

> 어떤 사람이 과일가게에 가서 8,000원짜리 수박을 사고 50,000원짜리 지폐를 주었다. 잔돈이 부족한 과일가게 주인은 옆에 있는 식당에서 돈을 바꾸어 잔돈 42,000원을 거슬러 주었다. 그런데 그 사람이 사라진 후 식당 주인으로부터 50,000원짜리 지폐가 위조지폐라는 것을 알게 되었다. 그러나 그 사람이 이미 사라진 뒤라 과일가게 주인은 식당 주인에게 50,000원을 변상하였다.

[모범답안] 식당 주인에게 5만 원을 받아서 손님에게 수박(8,000원)과 거스름돈 42,000원을 주고, 위조지폐로 인해 식당 주인에게 5만 원을 변상했으므로 손해 본 금액은 5만원이다.

[해설] 손님에게 받은 위조지폐 5만원을 그냥 종이로 생각하면 쉽다.

[VI] 주사위의 눈의 배열이 같은 3개의 주사위를 다음 그림과 같이 쌓았다. 주사위끼리 만나는 면에 있는 눈의 합이 각각 8일 때, ①번과 ②번 방향에서 본 주사위 모양을 각각 그리시오.

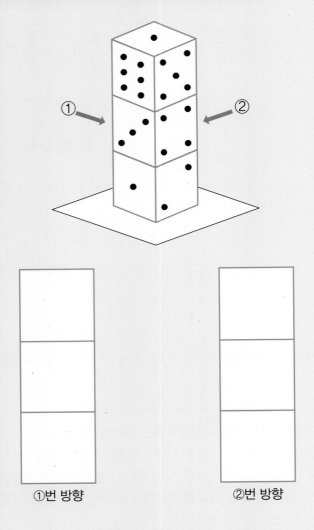

①번 방향　　　　　　②번 방향

[모범답안]

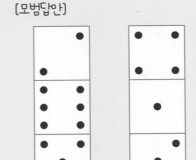

①번 방향　　①번 방향

[해설] 3층 주사위 윗면의 눈의 수가 1인 반대쪽 면에 올 수 있는 눈의 수는 3 또는 4이다. 그런데 2층 주사위 옆면에 눈의 수가 4인 면이 있으므로 3층 주사위와 2층 주사위가 만나는 면에 있는 눈의 합이 8이 되려면 눈의 수가 1인 반대쪽 면 눈의 수는 3이고, 2층 주사위 윗면 눈의 수는 5가 되어야 한다. 따라서 주어진 주사위 모양으로 주사위 눈의 수를 전개도로 나타내면 다음과 같다. 2층 주사위 아랫면 눈의 수가 2이므로 1층 주사위 윗면 눈의 수는 6이다.

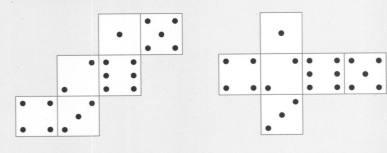

[Ⅶ] 삼각형 안과 밖의 수는 일정한 규칙으로 이루어져 있다. 그 규칙을 쓰고, 아래 삼각형에 같은 규칙이 되도록 빈 곳에 1~6까지의 수를 한 번씩 써넣으시오.

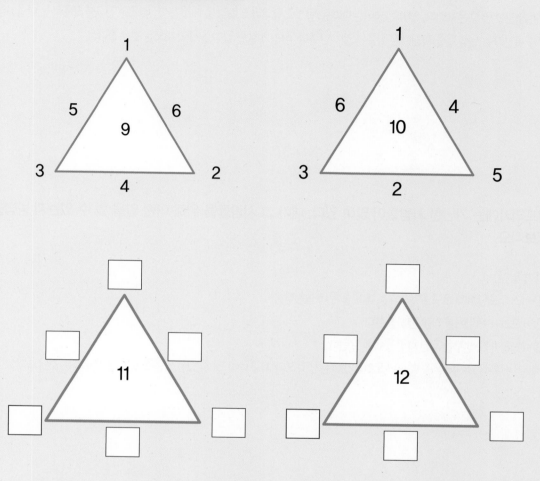

[모범답안]

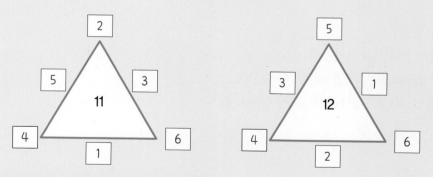

<규칙> 삼각형의 한 변에 놓인 수들의 합이 삼각형 안의 수가 된다.

[해설] 각 삼각형의 변에 놓인 수의 합은 33과 36이며, 빈칸에 들어갈 주어진 수(1~6)의 합은 21이다. 주어진 수를 이용해 33 - 21, 36 - 21의 값인 12와 15를 만들 수 있는 3개의 수를 찾아 삼각형의 각 꼭짓점에 넣고, 나머지 수를 채운다.

〈면접〉

[I] 다른 친구들과 어울리지 못하는 아이가 있을 때 나라면 어떻게 할 것인지 말해보시오.

[해설] 인성 면접 문제이다. 영재원에서는 대부분 팀으로 탐구하므로 갈등 해소 능력, 겉도는 친구를 포용하는 마음, 다른 사람의 감정을 공감하는 능력 등을 확인하는 질문이 많이 나온다. 미리 적절한 답안을 생각해보는 것이 좋다.

[II] 아프리카에는 가난한 사람들이 많이 있다. 내가 그 사람들을 위해 어떤 일을 할 수 있는지 방법을 3가지 말해보시오.

[모범답안]
① 여러 구호단체의 모금 활동, 기부, 후원을 통해 돕는다.
② 아프리카 어린이를 위해 편지를 쓴다.
③ 아프리카의 상황을 주변 사람들에게 알린다.
[해설] 어른이 되어서 돈을 벌어서 도와주겠다는 생각보다 지금 내가 할 수있는 작은 도움을 생각해보는 것이 좋다.

[III] 수학이 생활에서 적용되는 예를 3가지 말해보시오.

[모범답안]
① 자동차의 연비를 계산할 때 사용한다.
② 마트나 편의점에서 물건 가격을 계산할 때 사용한다.
③ 게임을 만들었을 때 그 게임이 공정한지 판단할 때 사용한다.

[IV] 나의 장래 희망이 수학이나 과학과 연관 있는지 말해보시오.

[해설] 지원 분야에 맞지 않는 장래 희망보다 지원 분야에 맞는 장래 희망을 말하는 것이 좋다. 자신의 장래 희망과 관련된 수학이나 과학 부분을 찾아보고 사회에 어떤 영향이나 도움을 줄 수 있는지도 함께 찾아서 자신만의 답변을 준비하는 것이 좋다.

수학과 연관 있는 꿈은 통계학자, 수학자, 수학교사(중학교, 고등학교), 소프트프로그램 개발자 등이 있다. 과학과 연관 있는 꿈은 물리학자, 천문연구원, 항공우주공학연구원, 인공위성 개발자, 전기전자연구원, 관제사, 기계공학자(엔지니어), 생태학자, 천문학자, 환경공학연구원, 생명공학연구원, 과학교사 등이 있다.

[V] 모둠원들이 민수의 행동을 선생님께 말씀 드려야 할지에 대해 자신의 입장을 정하여 토론하시오.

> 민수네 학급은 오늘 미술 시간에 협동화 그리기를 했습니다. 그러나 민수는 자기가 맡은 그림에 색칠도 안 하고 놀기만 했습니다. 끝날 시간이 되자 모둠 아이들은 마음이 급한 나머지 민수의 그림까지 함께 색칠해서 냈습니다. 선생님은 민수네 모둠의 협동화가 가장 멋있다고 칭찬을 해 주시며 모둠원 전체에게 스티커를 한 장씩 주셨습니다. 모둠원들은 민수가 협동화 그리기는 하지 않고 장난만 치고 스티커를 받았다는 사실을 선생님께 말씀드려야 할지 고민했습니다.

[해설] 모둠 활동에서 자주 발생할 수 있는 상황이다. 모둠 활동에서 주로 1명이 주도적으로 하고 1~2명이 참여를 하지 않는 경우가 발생하기도 한다. 협동화나 조별 과제 등을 해결할 때 참여하지 않는 친구가 생기면 대부분 한두 번 이야기하고 그래도 참여하지 않으면 선생님께 말씀드린다. 그러나 이번 상황은 민수에게 색칠하라고 이야기하는 사람도 없었고, 선생님께 말씀드리지도 않은 상황에서 민수를 빼고 협동화를 마무리했다. 모둠원들이 민수의 행동을 선생님께 말씀드린다면 모둠원들이 민수와 협동하려고 노력하지 않는 부분에서 모둠원들에게 준 스티커를 모두 회수할 수 있다. 또한, 선생님께 민수의 행동을 말씀드린다고 해서 민수가 다음부터 협동할 확률은 그리 높지 않을 것이다. 가장 중요한 핵심은 민수가 왜 협동하지 않았는지에 대한 모둠원들의 고민 없이 민수를 무시한 부분이다. 따라서 선생님께 말씀드리는 부분보다는 민수와 협동하기 위해 어떻게 해야 하는 것이 좋을지에 대한 해결 방안을 이야기하는 것이 좋다.

융합인재교육 STEAM 이란?

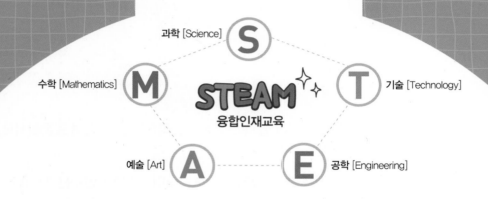

·수학, 과학, 기술, 공학 간 상호 연계성 고려, 학문 간 공통 핵심 요소 중심으로 교육
·예술적 소양을 함양하고 타 학문에 대한 이해가 깊은 미래형 인재 양성으로 교육

[자료 출처 : 한국과학창의재단]

융합인재교육은 과학기술공학과 관련된 다양한 분야의 융합적 지식, 과정, 본성에 대한 흥미와 이해를 높여 창의적이고 종합적으로 문제를 해결할 수 있는 융합적 소양(STEAM Literacy)을 갖춘 인재를 양성하는 교육이라고 정의하고 있다. 학습자가 실제 문제 상황을 다양하게 설계하고 해결하는 과정을 통해 새로운 개념을 생성하고, 창의적으로 설계하며, 더불어 사는 인성, 즉 사회적 감성을 발달하도록 하는 것이다.
이러한 융합인재교육(STEAM)의 목적은 다음과 같이 정리할 수 있다.

◈ 빠르게 변화하는 사회 변화의 적응력을 높이는 것이다.
◈ 개인의 창의 인성, 지성과 감성의 균형 있는 발달을 돕는 것이다.
◈ 타인을 배려하고 협력하며, 소통하는 능력을 함양하는 것이다.
◈ 과학 효능감과 자신감, 과학에 대한 흥미 등을 증진시킴으로써 과학 학습에 대한 동기 유발을 높이는 것이다.
◈ 융합적 지식 및 과정의 중요성을 인식시키는 것이다.
◈ 학습자 중심의 수평적 융합적 교육으로 전환하는 것이다.
◈ 합리적이고 다양성을 인정하는 문화 형성에 기여하는 것이다.
◈ 대중의 과학화를 기반으로 한 합리적인 사회를 구성하는 데 기여하는 것이다.
◈ 창조적 협력 인재를 양성하는 것이다.
◈ 수학, 과학, 기술, 공학 간 상호 연계성 고려, 학문 간 공통 핵심 요소 중심으로 교육
◈ 예술적 소양을 함양하고 타 학문에 대한 이해가 깊은 미래형 인재 양성으로 교육

안쌤이 추천하는
영재교육원 대비 5,6학년 로드맵

STEP

개념+창의력

안쌤의 최상위 줄기과학 초등 시리즈 | 학기별 8강, 총 32강

STEP

문제해결력

안쌤의 창의적 문제해결력 시리즈 | 수학 8강, 과학 8강

STEP

실전 대비

안쌤의 창의적 문제해결력 실전 시리즈 | 수학 50제, 과학 50제, 모의고사 4회

안쌤의
창의적 문제해결력 시리즈

초등
1~2
학년

초등
3~4
학년

초등
5~6
학년

중등
1~2
학년

영재교육원 영재학급 관찰추천제 대비

안쌤의
「창의적 문제 해결력」 수학 과학 공통

모의고사

① 모의고사[4회]

- 최근 시행된 전국 관찰추천제 **기출 완벽 분석 및 반영**
- 서울권 창의적 문제해결력 **평가 대비**
- 영재성검사, 학문적성검사, **창의적 문제해결력 검사 대비**

② 평가 가이드 및 부록

- 영역별 점수에 따른 **학습 방향 제시와 차별화된 평가 가이드 수록**
- 창의적 문제해결력 평가와 면접 기출유형 및 예시답안이 포함된 **관찰추천제 사용설명서 수록**

안쌤의
줄기과학 시리즈

새 교육과정
3~4학년
학기별
STEAM 과학

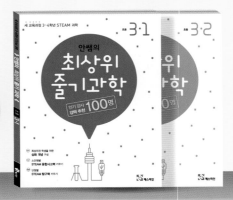

3-1 **8강** 3-2 **8강**   4-1 **8강** 4-2 **8강**

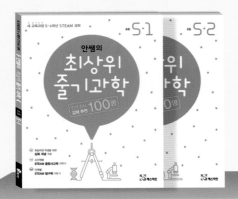

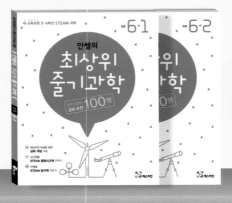

새 교육과정
5~6학년
학기별
STEAM 과학

5-1 **8강** 5-2 **8강**   6-1 **8강** 6-2 **8강**

새 교육과정
중등 영역별
STEAM 과학

물리학 **24강**   화학 **16강**   생명과학 **16강**   지구과학 **16강**   물리학 워크북   화학 워크북

5일 완성 프로젝트

파이널

안쌤의 창의적 문제해결력

수학 50제

정답 및 해설

파이널 50제 5강 구성

★ 영재성검사, 창의적 문제해결력 평가 및 검사,
   창의탐구력 검사에 공통으로 출제되는 수학 사고력,
   수학 창의성, 수학 STEAM(융합사고) 문제 유형으로 구성

★ 서술형 채점 기준으로 자신의 답안을 채점하면서
   답안 작성 능력을 향상시킬 수 있도록 구성

부록 |

50제 시리즈로 대비할 수 있는
수학 대회 안내

초등수학 창의사고력 대회, 영재교육원 선발에 대한 안내와 기출 유형 문제 수록

초등
5~6학년

안쌤 영재교육연구소

상위 1%가 되는 길로 안내하는 이정표로,
학생들이 꿈을 이루어갈 수 있도록 콘텐츠 개발과 강의 연구를 하고 있다.

안쌤영재교육 연구소
카카오톡
친구 추가하고
교육 상담 받으세요~!!

학습 자료실
유튜브 라이브 방송,
교재소개, 정오표 등
여러 가지 학습 자료를
확인하세요~!!

저자 **안쌤 영재교육연구소**
안재범, 최은화, 유나영, 이상호, 추진희, 허재이, 오아린, 이나연, 김혜진, 김샛별, 최혜성

검수
강영미, 권영경, 김혜선, 송경화, 안혜정, 오소영, 이미영, 이진실, 장시영, 전정희, 정회은

이 교재에 도움을 주신 선생님
강수남, 김영균, 김정환, 김지영, 김진선, 김진영, 김형진, 노관호, 류수진, 박기훈, 박미경, 박선재,
박지숙, 어유선, 윤소영, 이경미, 이미영, 이석영, 이아란, 전익찬, 전현정, 정영숙, 정회은, 조지흔

5일 완성 프로젝트

파이널

안쌤의 창의적 문제해결력

수학 50제

정답 및 해설

초등 5~6 학년

매스티안

문항 구성 및 채점표

평가영역 문항	수학 사고력		수학 창의성		수학 STEAM	
	개념 이해력	개념 응용력	유창성	독창성 및 융통성	문제 파악 능력	문제 해결 능력
1	점					
2	점					
3	점					
4		점				
5		점				
6			점	점		
7			점			
8			점			
9					점	점
10					점	점

평가영역별 점수	개념 이해력	개념 응용력	유창성	독창성 및 융통성	문제 파악 능력	문제 해결 능력
	수학 사고력		수학 창의성		수학 STEAM	
	/ 40점		/ 30점		/ 30점	

총점	

평가 결과에 따른 학습 방향

사고력	35점 이상	정확하게 답안을 작성하는 연습을 하세요.
	24~34점	교과 개념과 연관된 응용문제로 문제 적응력을 기르세요.
	23점 이하	틀린 문항과 관련된 교과 개념을 다시 공부하세요.

창의성	26점 이상	보다 독창성 및 융통성 있는 아이디어를 내는 연습을 하세요.
	18~25점	다양한 관점의 아이디어를 더 내는 연습을 하세요.
	17점 이하	적절한 아이디어를 더 내는 연습을 하세요.

STEAM	26점 이상	답안을 보다 구체적으로 작성하는 연습을 하세요.
	18~25점	문제 해결 방안의 아이디어를 다양하게 내는 연습을 하세요.
	17점 이하	실생활과 관련된 수학 기사로 수학적 사고를 확장하는 연습을 하세요.

정답 및 해설

01

- 풀이과정

통분한 두 분수의 분모는 각각 240÷2=120이고,

통분한 두 분수의 분자의 차가 23이므로 두 분자를 각각 □, □+23이라고 하면,

□+(□+23)=153, □+□=130, □=65이다.

통분한 두 수는 $\frac{65}{120}$, $\frac{88}{120}$이므로 각각 기약분수로 나타내면,

$\frac{65}{120}=\frac{13}{24}$, $\frac{88}{120}=\frac{11}{15}$이다.

따라서 두 기약분수의 분자의 합은 13+11=24이다.

- 답 : 24

요소별 채점 기준	점수
통분한 분수의 분모를 구한 경우	2점
통분한 분수의 분자를 각각 구한 경우	4점
두 기약분수의 분자의 합을 구한 경우	2점

[해설] 통분한 두 분수의 분모는 같으므로 통분한 두 분수의 분모는 240÷2=120이다. 분자의 합과 차로 두 분수의 분자를 각각 구하면 통분한 두 분수를 구할 수 있다. 두 분수를 기약분수로 만들어 합을 구하면 된다.

02

- 풀이과정

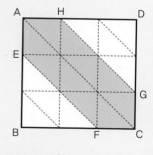

선분 AE, 선분 AH, 선분 CF, 선분 CG의 길이는 5 cm로

정사각형 ABCD의 한 변의 길이의 $\frac{1}{3}$이다.

정사각형 ABCD를 다음 그림과 같이 18등분 하면,

작은 삼각형 1개의 넓이는 정사각형 ABCD의 넓이의 $\frac{1}{18}$이므로

$\frac{15 \times 15}{18} = \frac{25}{2}$이다.

칠해진 작은 삼각형의 개수는 10개이므로

칠해진 부분의 넓이는 $10 \times \frac{25}{2} = 125$이다.

- 답 : 125

요소별 채점 기준	점수
풀이과정을 바르게 서술한 경우	6점
답을 구한 경우	2점

[해설] 칠해진 부분을 다음과 같이 나누면 좀 더 빠르게 구할 수 있다.

칠해진 부분의 넓이는 작은 삼각형의 넓이의 10배이다.

따라서 $\frac{1}{2} \times 5 \times 5 \times 10 = 125$이다.

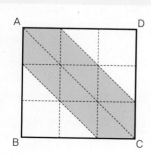

03

- 풀이과정

A 2 kg, B 3 kg을 섞으면 5 kg이 되므로 가격은 28000원이 된다. … ①

A 3 kg, B 5 kg을 섞으면 8 kg이 되므로 가격은 45000원이 된다. … ②

A 6 kg, B 9 kg을 섞으면 15 kg이 되므로 가격은 84000원이 된다. … ③

A 6 kg, B 10 kg을 섞으면 16 kg이 되므로 가격은 90000원이 된다. … ④

③, ④로부터 B 1 kg의 가격은 90000−84000=6000(원)이고,

①로부터 A 1 kg의 가격은 $\frac{28000−3×6000}{2}$=5000(원)이다.

따라서 A 1 kg, B 1 kg의 가격의 합은 6000+5000=11000(원)이다.

- 답 : 11000원

요소별 채점 기준	점수
풀이과정을 바르게 서술한 경우	6점
답을 구한 경우	2점

[해설] 1 kg에 설탕 A와 B가 2 : 3으로 섞인 경우, 3 : 5로 섞인 경우 가격이 다르므로 설탕 A와 B의 가격이 다르다. 1 kg을 설탕 A와 B를 섞은 비율로 나눠서 생각하면 계산이 복잡해지므로 2 : 3으로 섞은 경우는 설탕 A 2 kg, 설탕 B 3 kg으로 섞어 5 kg 가격으로 식을 세우고, 3 : 5로 섞은 경우는 설탕 A 3 kg, 설탕 B 5 kg으로 섞어 8 kg 가격으로 식을 세워서 생각한다.

설탕 A 1 kg과 설탕 B 1 kg의 합을 구하는 것이므로 설탕 A 1 kg과 설탕 B 1 kg의 가격을 각각 구한 후 합을 계산하지 않고 주어진 두 조건으로 설탕 A 1 kg과 설탕 B 1 kg의 합을 바로 계산하는 방법을 다음과 같이 찾아도 된다.

2 : 3에서 설탕 A 4 kg+설탕 B 6 kg=56000원 …①

3 : 5에서 설탕 A 3 kg+설탕 B 5 kg=45000원 …②

①−② ; 설탕 A 1 kg+설탕 B 1 kg=11000원이다.

- 풀이과정

키가 160 cm인 사람의 표준 몸무게는 (160−100)×0.9=54 (kg)이다.

과체중이 될 수 있는 몸무게의 범위는

$54×\frac{120}{100}$=64.8 (kg) 이상 $54×\frac{135}{100}$=72.9 (kg) 미만이다.

- 답 : 64.8 kg 이상 72.9 kg 미만

요소별 채점 기준	점수
풀이과정을 바르게 서술한 경우	6점
답을 구한 경우	2점

[해설] 일반적으로 신장을 이용하여 표준 몸무게를 구하는 식은 일반적인 성인 대상이므로 초등학생에게 맞지 않을 수 있다. 좀 더 정확하게 자신의 키를 이용하여 표준 몸무게를 구하려면 나이, 체질, 성별 등을 고려해야 한다.

05

• 풀이과정

㉮ 지점에서 출발한 보트를 A, ㉯ 지점에서 출발한 보트를 B라 하면

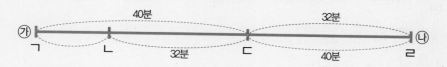

속력이 일정할 때 거리는 시간에 비례하므로

A가 간 거리에서 ㄱㄷ의 거리 : ㄷㄹ의 거리=40 : 32=5 : 4이다.

ㄱㄹ의 거리를 1이라 하면 ㄷㄹ의 거리는 $\frac{4}{9}$이므로

B가 간 거리에서 ㄴㄷ의 거리를 □라 하면

$5 : 4 = \frac{4}{9} : □, 5 \times □ = 4 \times \frac{4}{9}, □ = \frac{16}{45}$이다.

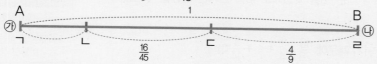

따라서 ㄱㄹ의 거리가 1일 때 ㄱㄴ의 거리는 $1 - \frac{4}{9} - \frac{16}{45} = \frac{1}{5}$이다.

ㄱㄴ의 거리가 2.4 km이므로

㉮와 ㉯ 두 지점 사이의 거리는 2.4×5=12 (km)이다.

• 답 : 12km

요소별 채점 기준	점수
풀이과정을 바르게 서술한 경우	6점
답을 구한 경우	2점

[해설] 강의 하류에서 상류로 올라갈 때 보트의 속력은 강의 상류에서 하류로 내려갈 때 보트의 속력보다 느리다. 보트의 속력은 이동하는 동안 일정하다고 했으니 이동 거리는 시간에 비례한다. 지문이 글로만 나오는 경우에는 글의 내용을 그림으로 정리하여 문제를 해석하는 것이 좋다.

06

- $\frac{13}{28}$보다 작은 단위분수 중 가장 큰 것은 $\frac{1}{3}$이므로 $\frac{13}{28}$에서 $\frac{1}{3}$을 빼면, $\frac{13}{28} - \frac{1}{3} = \frac{11}{84}$이다.

  그런데 $\frac{11}{84}$이 단위분수가 아니므로 이보다 작은 단위분수 중 최대인 것을 찾으면 $\frac{1}{8}$이고,

  $\frac{11}{84}$에서 $\frac{1}{8}$을 빼면 $\frac{11}{84} - \frac{1}{8} = \frac{1}{168}$이다.

  그러므로 $\frac{13}{28} = \frac{1}{3} + \frac{1}{8} + \frac{1}{168}$이다.

- $\frac{13}{28}$보다 작은 단위분수 $\frac{1}{4}$을 빼면, $\frac{13}{28} - \frac{1}{4} = \frac{6}{28}$이다.

  $\frac{6}{28}$보다 작은 단위분수 $\frac{1}{5}$을 빼면, $\frac{6}{28} - \frac{1}{5} = \frac{1}{70}$이다.

  따라서 $\frac{13}{28} = \frac{1}{4} + \frac{1}{5} + \frac{1}{70}$이다.

- 28의 약수 중 13보다 작은 수들의 합으로 13을 만드는 방법을 활용할 수도 있다.

  즉, $\frac{13}{28} = \frac{7+4+2}{28}$이기 때문에 $\frac{13}{28} = \frac{1}{4} + \frac{1}{7} + \frac{1}{14}$이다.

※ 유창성 [6점]

총체적 채점 기준	점수
세 가지 방법을 찾은 경우	6점
두 가지 방법을 찾은 경우	4점
한 가지 방법을 찾은 경우	2점

※ 독창성 및 융통성 [4점]

요소별 채점 기준	점수
약수를 이용한 경우	2점
단위분수를 빼는 방법을 이용한 경우	2점

[해설] $\frac{13}{28}$을 몇 개의 단위분수의 합으로 나타내기 위해, 우선 $\frac{13}{28}$에서 이보다 작은 어떤 단위분수를 빼는 것을 생각해 볼 수 있다. 이 경우 그 차가 다른 단위분수로 나타나면 해결이 끝나지만, 그렇지 않은 경우에는 차가 단위분수가 될 때까지 이와 같은 단계를 계속해야 한다. 이와 같은 분수의 뺄셈을 할 경우, $\frac{13}{28}$보다 작은 단위분수 가운데 가장 큰 단위분수를 택하여 $\frac{13}{28}$에서 빼고, 이어서 다음 단계를 계산해나가는 것이 효과적이다.

07

- $1 = 44 \div 44$
- $2 = 4 \div 4 + 4 \div 4$
- $3 = (4 \times 4 - 4) \div 4$
- $4 = (4 - 4) \times 4 + 4$
- $5 = (4 \times 4 + 4) \div 4$
- $6 = (4 + 4) \div 4 + 4$
- $7 = 44 \div 4 - 4$
- $8 = 4 \times 4 - 4 - 4$
- $9 = 4 + 4 + 4 \div 4$
- $10 = (44 - 4) \div 4$

※ 유창성 [10점]

총체적 채점 기준	점수
한 가지 마다	1점

정답 및 해설

[해설] 4개의 수 4, 4, 4, 4는 4, 44의 수로 사용이 가능하다. 괄호를 사용하면 괄호 안의 식을 먼저 계산해야 하고 곱셈, 나눗셈은 덧셈, 뺄셈보다 먼저 계산해야 하는 연산 규칙을 이용하여 1부터 10까지의 수를 만든다.

08

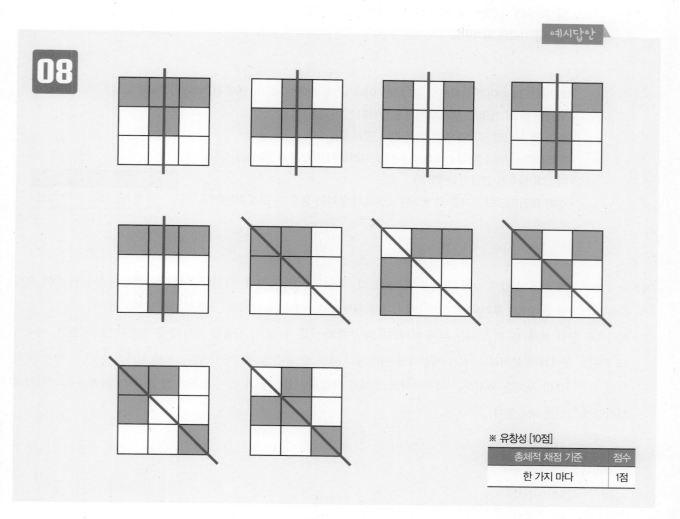

※ 유창성 [10점]

종체적 채점 기준	점수
한 가지 마다	1점

[해설] 대칭축은 세로, 가로, 대각선이 가능하다. 그러나 세로와 가로는 회전하거나 상하좌우로 뒤집으면 같은 모양이 되므로 대칭축은 세로나 가로 중에 하나만 생각하면 된다. 대각선도 두 가지 대칭축이 가능하지만 회전하거나 상하좌우로 뒤집으면 같은 모양이 되므로 한 가지 대칭축만 생각하면 된다.

1
- 석재 1개당 무게를 피라미드에 사용된 돌의 수로 곱하여 피라미드의 무게를 구한다.
- 피라미드의 모양은 사각뿔이므로 피라미드의 부피를 구한 후, 석재 1개의 부피와 비교해 피라미드의 무게를 구한다.

총체적 채점 기준	점수
두 가지를 서술한 경우	5점
한 가지를 서술한 경우	2점

2
- 피라미드의 높이가 정확하지 않기 때문이다. (건설 시에는 147 m, 현재 137 m)
- 사용된 돌 한 개의 크기와 무게가 일정하지 않기 때문이다.
- 돌과 돌 사이의 공간과 같은 빈 공간이 있기 때문이다.
- 피라미드 내부에 통로나 내부의 공간을 고려하지 않았기 때문이다.
- 계산에 실수가 있었기 때문이다.
- 실제 피라미드의 무게를 측정하는 과정에서 오차가 생길 수 있기 때문이다.

총체적 채점 기준	점수
한 가지 마다	2점

[해설]

1 돌 1개 무게에 사용된 돌의 수를 곱해서 피라미드의 무게를 구할 수 있다. 그러나 주어진 조건에서 사용된 돌의 수의 오차가 크므로 돌 1개의 부피와 피라미드의 부피를 바탕으로 사용된 돌의 수를 구해서 계산할 수도 있다.

2 계산으로 구한 피라미드의 무게는 실제 피라미드의 무게와 다를 수 있다. 사용된 돌의 수를 정확히 알 수 없고, 피라미드 부피를 돌 1개의 부피로 나눠서 계산하면 피라미드 내부 빈 공간을 계산하지 않아 실제 무게보다 더 크게 나온다. 실제 피라미드의 무게를 측정하는 과정에서도 오차가 생길 수 있다. 이와 같이 오차가 생길 수 있는 부분을 다양하게 생각하여 답안을 작성한다.

10

①

- 메르스의 치사율은 약 39 %이다. 지금까지 메르스에 걸린 총 확진자의 수와 총 사망한 사람 수를 바탕으로 치사율을 구하면

$$\frac{450+11+10}{1019+126+76}\times100=\frac{471}{1221}\times100=38.6\,\%로 약 39\,\%이기 때문이다.$$

  통계는 많은 자료를 통해 그 결과를 예상하는 것이 정확하기 때문이다.

- 메르스의 치사율은 약 8.7 %이다. $\frac{11}{126}\times100=8.7\,\%$ 다른 나라는 우리나라
  와 기후나 의료시설 등이 다르므로 우리나라의 자료만을 가지고 계산하는
  것이 적절하다.

요소별 채점 기준	점수
치사율을 수학적으로 계산한 경우	2점
치사율을 구한 근거가 타당한 경우	3점

②

- 증상이 감기나 독감과 비슷해 메르스에 감염된 사실을 몰랐기 때문이다.
- 바이러스에 의한 질병으로 바이러스의 크기는 매우 작아 잘 전염되기 때문이다.
- 감염되었지만 증상이 나타나지 않는 잠복기가 14일까지로 길기 때문에 증상이 나타나기 전에 다른 사람을 감염시켰기 때문이다.
- 감염된 사람들을 철저히 격리시키지 못해 감염자가 감염되지 않은 많은 사람들과 접촉했기 때문이다.
- 전염력이 약한 바이러스라고 생각해 철저히 대비하지 못했기 때문이다.

총체적 채점 기준	점수
예방법 한 가지 마다	2점

[해설]

① 메르스 치사율을 발생 국가인 세 나라의 합계를 바탕으로 예상할지, 우리나라의 상황에 맞게 할지 자신의 논리를 가지고 서술한다.

② 메르스의 원인이 되는 바이러스는 아주 작은 크기로 쉽게 전염된다. 우리나라의 경우 메르스에 감염된 환자가 병원을 찾았고 그 병원에 있던 사람들이 바이러스에 감염되어 전파되었다. 바이러스에 감염된 사람도 메르스의 증상이 나타나기까지 길게는 2주 정도의 시간이 걸리는데 그동안 메르스에 감염된 사실을 모르고 다른 사람과 접촉한 경우 바이러스를 전파하게 된다. 메르스의 전파를 막기 위해서는 외출 시에는 마스크를 착용하고, 외출 후에는 반드시 손을 깨끗이 씻어야 한다. 메르스의 증상이 의심될 경우 외출과 다른 사람과의 접촉을 피하고 치료를 받는 것이 중요하다.

문항 구성 및 채점표

평가영역 문항	수학 사고력		수학 창의성		수학 STEAM	
	개념 이해력	개념 응용력	유창성	독창성 및 융통성	문제 파악 능력	문제 해결 능력
11	점					
12	점					
13		점				
14	점					
15		점				
16			점	점		
17			점	점		
18			점	점		
19					점	점
20					점	점

평가영역별 점수	개념 이해력	개념 응용력	유창성	독창성 및 융통성	문제 파악 능력	문제 해결 능력
	수학 사고력		수학 창의성		수학 STEAM	
	/ 40점		/ 30점		/ 30점	

총점	

평가 결과에 따른 학습 방향

사고력	35점 이상	정확하게 답안을 작성하는 연습을 하세요.
	24~34점	교과 개념과 연관된 응용문제로 문제 적용력을 기르세요.
	23점 이하	틀린 문항과 관련된 교과 개념을 다시 공부하세요.
창의성	26점 이상	보다 독창성 및 융통성 있는 아이디어를 내는 연습을 하세요.
	18~25점	다양한 관점의 아이디어를 더 내는 연습을 하세요.
	17점 이하	적절한 아이디어를 더 내는 연습을 하세요.
STEAM	26점 이상	답안을 보다 구체적으로 작성하는 연습을 하세요.
	18~25점	문제 해결 방안의 아이디어를 다양하게 내는 연습을 하세요.
	17점 이하	실생활과 관련된 수학 기사로 수학적 사고를 확장하는 연습을 하세요.

정답 및 해설

11

①

• 방법 1

먼저 2의 배수가 되는 경우를 찾고, 그중 3의 배수를 찾는다.

6의 배수가 되려면 2의 배수이면서 3의 배수이어야 한다. 2의 배수가 되려면 일의 자리에 2와 4가 와야 하며, 3의 배수가 되려면 각 자리 숫자의 합이 3의 배수가 되어야 한다.

즉, □□2, □□4에서 각 자리 숫자의 합이 3의 배수가 되는 경우를 찾는다.

• 방법 2

만들 수 있는 3의 배수를 모두 찾고, 그중 짝수인 수를 찾는다.

3의 배수가 되려면 각 자리 숫자의 합이 3의 배수가 되어야 하므로

숫자 카드 3장의 합이 3의 배수가 되는 경우를 찾고 그중 짝수를 찾는다. .

② 234, 324, 342, 354, 372, 432, 534, 732

요소별 채점 기준	점수
두 가지 방법을 모두 서술한 경우	6점
답을 구한 경우	2점

[해설]

❷ 두 가지 방법을 이용해 6의 배수인 세 자리 수를 구한다.

일의 자리가 짝수여야 하므로 일의 자리 숫자는 2, 4여야 한다.

일의 자리가 2일 때 세 자리 수가 3의 배수가 되려면 각 자리 숫자의 합이 3의 배수가 되어야 하므로 342, 432, 372, 732이다.

일의 자리가 4일 때 세 자리 수가 3의 배수가 되려면 각 자리 숫자의 합이 3의 배수가 되어야 하므로 234, 324, 354, 534이다.

12

• 풀이과정

삼각형 ㄱㅁㄹ과 삼각형 ㄷㄹㅁ의 높이는 같으므로

변 ㄱㅁ의 길이를 $8a$, 변 ㄷㅁ의 길이를 $12a$라고 하자.

삼각형 ㄱㄴㅁ과 삼각형 ㄴㄷㅁ의 높이는 같고 이를 h라고 하면

삼각형 ㄱㄴㅁ의 넓이는 $\frac{1}{2} \times 8a \times h = 4a \times h$ 이고,

삼각형 ㄴㄷㅁ의 넓이는 $\frac{1}{2} \times 12a \times h = 6a \times h$이다.

사각형 ㄱㄴㄷㄹ의 넓이가 60 cm²이므로

삼각형 ㄱㄴㅁ의 넓이와 삼각형 ㄴㄷㅁ의 넓이의 합은

$60 - (8 + 12) = 40$ cm²이다.

따라서 $4a \times h + 6a \times h = 10a \times h = 40$ cm² 이므로 $a \times h = 4$ cm²이다.

그러므로 삼각형 ㄱㄴㅁ의 넓이는 4×4 cm² $= 16$ cm²이고,

삼각형 ㄴㄷㅁ의 넓이는 6×4 cm² $= 24$ cm²이다.

• 답 : 16 cm², 24 cm²

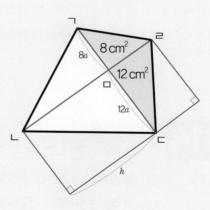

요소별 채점 기준	점수
풀이과정을 바르게 서술한 경우	6점
답을 구한 경우	2점

[해설] 삼각형 ㄱㄷㄹ의 밑변을 선분 ㄱㄷ으로 보면 삼각형 ㄱㄹㅁ과 ㅁㄹㄷ은 높이가 같은 삼각형이므로 두 삼각형의 넓이의 비는 선분 ㄱㅁ과 선분 ㅁㄷ의 길이비와 같다. 삼각형 ㄱㅁㄹ과 삼각형 ㄷㄹㅁ의 넓이의 비는 밑변의 길이의 비,

$8:12=2:3$이다. 삼각형 ㄱㄴㅁ과 삼각형 ㄴㄷㅁ도 높이가 같으므로 두 삼각형 넓이의 비가 $8:12=2:3$이다.

전체 넓이가 $60\,cm^2$이고 삼각형 ㄱㅁㄹ과 삼각형 ㄷㄹㅁ의 넓이의 합이 $20\,cm^2$이므로

삼각형 ㄱㄴㅁ과 삼각형 ㄴㄷㅁ의 넓이는 $40\,cm^2$이다.

따라서 $8:12=2:3$의 비로 나누면 삼각형 ㄱㄴㅁ의 넓이는 $40\,cm^2 \times \dfrac{2}{5}=16\,cm^2$,

삼각형 ㄴㄷㅁ의 넓이는 $40\,cm^2 \times \dfrac{3}{5}=24\,cm^2$이다.

13

• 풀이과정

12명은 축구를 좋아하는 학생 수의 $\dfrac{4}{7}$와 같으므로,

축구를 좋아하는 학생 수$\times \dfrac{7}{4}=12$ (명), 축구를 좋아하는 학생 수$=12 \times \dfrac{4}{7}=21$ (명)이다.

야구를 좋아하는 학생 수는 축구를 좋아하는 학생 수보다 2명 많다고 했으므로 $21+2=23$ (명)이다.

재민이네 반 학생 수가 가장 적으려면 축구와 야구를 좋아하지 않는 사람이 없어야 한다.

재민이네 반 학생 수는 21명과 23명의 합에 축구와 야구를 모두 좋아하는

학생 수 12명은 겹치므로 빼 주어야 한다.

따라서 재민이네 반 학생 수는 최소 $21+23-12=32$ (명)이다.

• 답 : 32명

요소별 채점 기준	점수
풀이과정을 바르게 서술한 경우	6점
답을 구한 경우	2점

[해설] 12명은 축구와 야구를 모두 좋아하는 학생 수이므로 축구를 좋아하는 학생 수와 야구를 좋아하는 학생 수의 합에서 12명을 빼야 한다. 문제에서 재민이네 반 학생 수가 최소 몇 명인지 구하라고 했으므로 축구와 야구를 좋아하지 않는 학생이 없을 때가 재민이네 반 학생 수가 최소인 경우이다.

14

• 풀이과정

변 BA의 길이는 변 BA′의 길이와 같으므로 삼각형 ABA′은 이등변삼각형이다.

각 ABA′의 크기는 30°이므로 각 BAA′=각 BA′A$=\dfrac{1}{2} \times (180°-30°)=75°$이다.

각 BAC=각 BA′C′=각 BA′A이고, 각 BA′A+각 BA′C′+각 C′A′C=180°이므로 각 C′A′C=30°이다.

삼각형 A′BC에서 삼각형의 내각의 크기는 180°이므로

$45°+30°+75°+$㉠$=180°$, ㉠$=30°$이다.

• 답 : 30°

요소별 채점 기준	점수
풀이 과정을 바르게 서술한 경우	6점
답을 구한 경우	2점

정답 및 해설

[해설] 도형을 30° 회전시켰으므로 각 ABA′의 크기는 30°이다. 삼각형의 내각의 합은 180도(기호)인 삼각형의 성질을 이용해 각 ㉠를 구한다.

다음과 같이 풀이할 수도 있다.

각 AA′B=75°이고, 삼각형 A′BC의 한 외각이므로 45°+㉠=75°, ㉠=30°이다.

또는 삼각형 ABC에서 삼각형 내각의 크기의 합은 180°이므로

각 ABA′+㉠+45°+각 BAC=30°+㉠+75°=180°, ㉠=30°이다.

15 · 풀이과정

구분	셋째 번 게임		둘째 번 게임		첫째 번 게임	
	게임 후	게임 전	게임 후	게임 전	게임 후	게임 전
갑	40000	20000	20000	10000	10000	20000
을	40000	20000	20000	40000	40000	35000
병	40000	80000	80000	70000	70000	65000

게임에 지면 가지고 있던 돈의 절반이 나가므로, 게임에 지기 전 돈은 지고 난 후 돈의 2배이다.

혜성이가 셋째 번으로 게임에 졌고, 그 결과 40000원이 되었으므로 혜성이가 셋째 번 게임을 하기 전의 돈은 40000×2=80000원이다. 40000원을 현준이와 민준이에게 반씩 나누어 주었으므로 현준이와 민준이는 셋째 번 게임을 하기 전에는 각각 40000-20000=20000원을 가지고 있었다.

둘째 번 게임은 민준이가 졌으므로 둘째 번 게임을 하기 전 민준이가 가진 돈은 20000×2=40000원이다. 민준이가 20000원을 현준이와 혜성이에게 나누어 주었으므로 둘째 게임을 하기 전 현준이의 돈은 10000원이고 혜성이가 가진 돈은 70000원이다.

첫째 번 게임은 현준이가 졌으므로 현준이가 첫째 번 게임을 하기 전 가진 돈은 20000원이고 5000원씩을 민준이와 혜성이게 각각 나누어 준 것이 되므로 첫째 번 게임을 하기 전 민준이가 가진 돈은 40000-5000=35000원이고, 혜성이가 가진 돈은 70000-5000=65000원이다.

따라서 혜성이가 처음에 가지고 있던 돈은 65000원이다.

요소별 채점 기준	점수
풀이과정을 바르게 서술한 경우	6점
답을 구한 경우	2점

· 답 : 65000원

[해설] 게임 규칙은 게임에서 진 사람은 가지고 있던 돈의 절반을 두 사람에게 똑같이 반씩 나누어 준다는 것이다. 문제에서 주어진 조건은 세 번의 게임에서 진 사람의 순서와 세 번의 게임 후 세 사람이 가지고 있는 돈이 40000원으로 같다는 것이다. 따라서 셋째 번 게임부터 첫째 번 게임 순으로 게임 전과 후의 세 사람이 가지고 있는 돈을 거꾸로 구해서 혜성이가 처음에 가지고 있던 돈을 구하면 된다. 표로 정리하면 좀 더 빠르게 구할 수 있다.

정답 및 해설 **13**

예시답안

16

- 삼각형은 대각선이 없다.
- 변의 개수가 늘어나면 대각선의 개수도 늘어난다.
- 변의 개수와 대각선의 개수 사이에는 일정한 규칙이 있다.
- 한 꼭짓점에서 그을 수 있는 대각선의 개수는 사각형부터 1개, 2개, 3개, …의 순으로 증가한다.
- n각형의 대각선의 개수는 $n(n-3) \div 2$로 구할 수 있다.
- 변의 개수가 7개 이상이면 대각선의 개수는 변의 개수의 2배 이상이다.
- 변의 개수가 1개씩 늘어나면 대각선의 개수는 2개, 3개, 4개, …순으로 늘어난다.
- 대각선의 개수의 차는 다음과 같은 일정한 규칙의 수열을 이룬다.

※ 유창성 [6점]

총체적 채점 기준	점수
다섯 가지를 서술한 경우	6점
네 가지를 서술한 경우	4점
세 가지를 서술한 경우	3점
두 가지를 서술한 경우	2점
한 가지를 서술한 경우	1점

※ 독창성 및 융통성 [4점]

요소별 채점 기준	점수
대각선 개수 변화와 관련된 규칙을 서술한 경우	2점
변의 개수와 대각선의 개수와의 관계를 서술한 경우	2점

[해설] 삼각형부터 n각형으로 변의 개수가 늘어남에 따라 대각선의 개수가 어떻게 증가하는지 규칙을 찾는 문제이다. 이 규칙과 함께 다섯 가지 사실을 찾아야 하므로 대각선의 개수 변화와 관련된 규칙, 변의 개수와 대각선의 개수와의 관계 등을 추가로 찾아 서술하면 된다.

예시답안

17

- 입체도형의 이름을 쓰시오.
- 입체도형의 전개도를 그리시오.
- 입체도형의 전개도에서 각 부분에 해당하는 명칭을 쓰시오.
- 회전축을 포함한 평면으로 잘랐을 때의 단면의 모양을 쓰시오.
- 회전축에 수직인 평면으로 자른 단면의 모양을 그리시오.
- 밑면의 반지름의 길이가 2 cm이고, 높이가 4 cm일 때 부피(겉넓이)를 구하시오.
- 일상생활에서 원기둥 모양으로 생긴 물건들을 다섯 가지 쓰시오.
- 원기둥의 높이에 해당하는 부분을 그림에 표시하시오.

※ 유창성 [6점]

총체적 채점 기준	점수
다섯 가지 문제를 만든 경우	6점
네 가지 문제를 만든 경우	4점
세 가지 문제를 만든 경우	3점
두 가지 문제를 만든 경우	2점
한 가지 문제를 만든 경우	1점

※ 독창성 및 융통성 [4점]

요소별 채점 기준	점수
모양과 관련된 문제를 만든 경우	2점
계산과 관련된 문제를 만든 경우	2점

[해설] 주어진 입체도형을 이용한 문제를 서술하는 것이므로 원기둥의 성질, 회전체의 성질, 부피, 넓이, 높이 등 다양한 문제를 만드는 것이 좋다.

정답 및 해설

예시답안

18

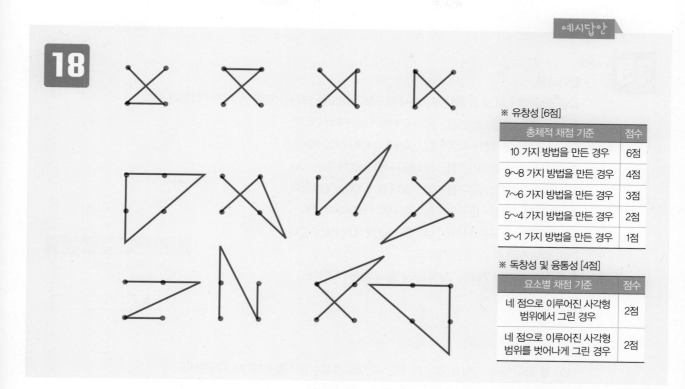

※ 유창성 [6점]

총체적 채점 기준	점수
10 가지 방법을 만든 경우	6점
9~8 가지 방법을 만든 경우	4점
7~6 가지 방법을 만든 경우	3점
5~4 가지 방법을 만든 경우	2점
3~1 가지 방법을 만든 경우	1점

※ 독창성 및 융통성 [4점]

요소별 채점 기준	점수
네 점으로 이루어진 사각형 범위에서 그린 경우	2점
네 점으로 이루어진 사각형 범위를 벗어나게 그린 경우	2점

[해설] 네 개의 점을 3개의 직선으로 연필을 떼지 않고 그려야 한다. 주어진 방법은 네 개의 점을 이어서 만들 수 있는 사각형 범위 내에서 그린 것이다. 그러나 한붓그리기로 사각형 범위 내에서 그리는 방법에는 한계가 있다. 네 점의 사각형 범위를 벗어나도 가능한 방법을 찾으면 열 가지 방법을 좀더 다양하게 그릴 수 있다.

19

①

• **풀이과정**

집을 출발하여 세 곳을 들른 후, 다시 집으로 돌아오는 모든 경로를 알아보면 다음과 같다.

집-문구점-서점-안경점-집 : 50+80+90+70=290

집-문구점-안경점-서점-집 : 50+100+90+150=390

집-서점-문구점-안경점-집 : 150+80+100+70=400

집-서점-안경점-문구점-집 : 150+90+100+50=390

집-안경점-서점-문구점-집 : 70+90+80+50=290

집-안경점-문구점-서점-집 : 70+100+80+150=400

가장 많이 이동한 거리는 400이고,

가장 적게 이동한 거리는 290이므로 둘의 차는 110이다.

• **답** : 110

요소별 채점 기준	점수
풀이과정을 바르게 서술한 경우	3점
답을 구한 경우	2점

②

• 해야 할 일이 여러 가지가 있을 때 최단 시간이 걸리는 순서를 정할 때 사용된다.

• 지하철을 가장 빠르게 환승하는 길을 찾을 때 사용된다.

• 우편 배달부가 우편을 배달하는 경로를 계획할 때 사용된다.

• 도시와 도시를 연결하는 도로 건설을 설계할 때 사용된다.

• 기름을 이동시킬 송유관 설치를 설계할 때 사용된다.

• 각 도시에 물을 공급하는 배수관 설치를 설계할 때 사용된다.

• 각 도시에 무선 통신 기지국 건설을 계획할 때 사용된다.

• 컴퓨터 회로를 효율적으로 연결할 때 사용된다.

총체적 채점 기준	점수
한 가지 마다	2점

[해설]

① 해밀턴 회로는 평면 위의 모든 점을 한 번씩만 지나 제자리로 돌아오는 길이다. 최단 경로로 돌아오는 길을 찾는 문제들이 주로 출제되는데 최단 경로를 찾는 일정한 규칙은 없으므로 모든 경로를 찾아 계산한 후 최단 경로를 찾아야 한다.

② 우리가 의식하지 않고 해밀턴 회로를 사용하고 있는 경우가 많다. 우편배달부나 택배기사 등의 직업은 효율적으로 이동하기 위해 해밀턴 회로를 이용한다.

정답 및 해설

20

❶

- 서울시 인구
- 서울시 남녀 비율
- 남자의 연평균 미용 횟수
- 여자의 연평균 미용 횟수
- 미용사 일평균 미용 횟수
- 미용사 월평균 근무 일수

요소별 채점 기준	점수
작성한 요소들로 미용사 수를 구할 수 있는 경우	2점
미용사 수를 구할 수 있는 요소들이 네 가지 이상인 경우	3점

❷

① 서울시 인구 1000만 명, 서울시 남녀 비율 1 : 1, 남자의 연평균 미용 횟수 10회,
  여자의 연평균 미용횟 수 6회,

② 서울시 인구의 연평균 미용 횟수＝500만×10회＋500만×6회＝8000만 회

③ 미용사 일평균 미용 횟수는 남자인 경우 10회, 여자인 경우 4회이므로
  평균 7회이다.

④ 월평균 근무 일수는 25일이므로 미용사의 연평균 미용 횟수는
  7회×25일×12개월＝2100회이다.

⑤ 따라서 서울시에 필요한 미용사 수＝8000만 회÷2100회＝38095
  ≒3만 8천명이다.

요소별 채점 기준	점수
페르미 추정의 방법을 바르게 서술한 경우	5점
①의 요소를 모두 이용한 경우	3점
적정 미용사 수를 구한 경우	2점

[해설]

❶ 페르미 추정의 방법으로 서울시에 필요한 적정 미용사 수를 구하는 방법은 다양하다. 서울시 인구의 연평균 미용 횟수를 한 미용사의 연평균 미용 횟수로 나누면 된다. 따라서 이를 구하기 위해 알아야 할 요소는 예시답안 외에도 다양하게 나올 수 있다. 그러나 알아야 할 내용들로 서울시에 필요한 적정 미용사 수를 구할 수 있어야 한다.

❷ 2014년 7월 서울시 인구수는 10,125,912명, 세대수는 4,190,836, 세대당 인구는 2.42명, 남자 인구수는 4994112명, 여자 인구수는 5131800명, 남녀 비율은 0.97이다. 안전행정부 홈페이지(http://www.mospa.go.kr)에서 정책자료/통계/주제별통계/주민등록인구통계를 누르면 전국 인구수 현황을 확인할 수 있다.

문항 구성 및 채점표

평가영역 / 문항	수학 사고력		수학 창의성		수학 STEAM	
	개념 이해력	개념 응용력	유창성	독창성 및 융통성	문제 파악 능력	문제 해결 능력
21	점					
22		점				
23		점				
24	점					
25	점					
26			점	점		
27			점	점		
28			점			
29					점	점
30					점	점

평가영역별 점수	개념 이해력	개념 응용력	유창성	독창성 및 융통성	문제 파악 능력	문제 해결 능력
	수학 사고력		수학 창의성		수학 STEAM	
	/ 40점		/ 30점		/ 30점	

총점	

평가 결과에 따른 학습 방향

사고력	35점 이상	정확하게 답안을 작성하는 연습을 하세요.
	24~34점	교과 개념과 연관된 응용문제로 문제 적응력을 기르세요.
	23점 이하	틀린 문항과 관련된 교과 개념을 다시 공부하세요.

창의성	26점 이상	보다 독창성 및 융통성 있는 아이디어를 내는 연습을 하세요.
	18~25점	다양한 관점의 아이디어를 더 내는 연습을 하세요.
	17점 이하	적절한 아이디어를 더 내는 연습을 하세요.

STEAM	26점 이상	답안을 보다 구체적으로 작성하는 연습을 하세요.
	18~25점	문제 해결 방안의 아이디어를 다양하게 내는 연습을 하세요.
	17점 이하	실생활과 관련된 수학 기사로 수학적 사고를 확장하는 연습을 하세요.

21

- **풀이과정**

농부의 수를 □명이라 하면 농부들이 벤 벼의 양은

작은 논은 $□×\frac{1}{3}+2$이고 큰 논은 $□+□×\frac{2}{3}$이라고 할 수 있다.

큰 논은 작은 논의 3배이므로

$$□+□×\frac{2}{3}=3×(□×\frac{1}{3}+2)$$

$$□+□×\frac{2}{3}=□+6$$

$$□×\frac{2}{3}=6$$

$$□=6×\frac{3}{2}$$

$$□=9$$

따라서 벼를 벤 농부는 모두 9명이다.

- **답 : 9명**

요소별 채점 기준	점수
풀이과정을 바르게 서술한 경우	6점
답을 구한 경우	2점

[해설] 농부 한 명이 하루 종일 벤 벼의 양은 모두 같다고 가정하였으므로 농부 한 명이 하루 종일 벤 벼의 양을 1로 생각하고 구해야 하는 농부의 수를 □로 하여 농부들이 큰 논과 작은 논의 벼를 모두 벤 일의 양을 식으로 표현한다.

22

- **풀이과정**

그림에서 꼭짓점 A에서 점 K를 지나 꼭짓점 G에 이르는 가장 짧은 선은 오른쪽 그림에서처럼 점 A, K, G를 잇는 직선이다. 변 AD의 길이와 변 DH의 길이의 합은 12 cm이므로 변 GH의 길이와 같다. 따라서 삼각형 AGH는 직각이등변삼각형이다. 선분 DK와 변 GH는 평행하므로 삼각형 AKD도 직각이등변삼각형이다. 따라서 선분 DK의 길이는 변 AD의 길이와 같은 4 cm이다.

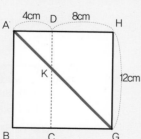

- **답 : 4 cm**

요소별 채점 기준	점수
풀이과정을 바르게 서술한 경우	6점
답을 구한 경우	2점

[해설] 입체도형에서 두 면을 지나는 선분을 긋는 문제는 두 면을 전개도로 구성하여 입체가 아닌 평면으로 그림을 그려 해결한다. 두 면을 평면으로 그릴 때 주어진 길이에 맞게 그리면 삼각형 AGH가 직각이등변삼각형이라는 것을 쉽게 확인할 수 있고 삼각형 ADK 또한 직각이등변삼각형이라는 것을 알 수 있어 쉽게 문제를 풀 수 있다.

• 풀이과정

① 26개의 동전을 9개, 9개, 8개의 3묶음으로 나누어 양팔 저울을 이용해 무게를 비교한다.

②-1. 먼저 9개씩 들어있는 두 묶음의 무게가 같다면 가벼운 동전은 8개 중 하나이다.

다시 8개의 동전을 3개, 3개, 2개의 3묶음으로 나누어 3개짜리 두 묶음을 비교한다. 이때 두 묶음의 무게가 같다면 나머지 2개 중 1개가 가벼운 동전이므로 양팔 저울로 비교해 알아낼 수 있다.

만약 3개짜리 두 묶음의 무게가 다르다면 가벼운 쪽 3개의 동전 중 하나가 가벼운 동전이므로 양팔 저울을 한 번만 더 사용하면 가벼운 동전을 찾을 수 있다.

②-2. 9개씩 들어 있는 두 묶음의 무게가 다르다면 가벼운 쪽 9개의 동전을 3개, 3개, 3개로 나누어 무게를 비교해 본다.

비교한 두 3개의 동전의 무게가 같다면 나머지 3개 중 가벼운 동전이 있으므로 양팔 저울을 한 번만 더 사용하면 가벼운 동전을 찾을 수 있다.

무게가 다르다면 가벼운 3개의 동전 중 하나가 가벼운 동전이므로 양팔 저울을 한 번만 더 사용하면 가벼운 동전을 찾을 수 있다.

• 답 : 3000원

요소별 채점 기준	점수
풀이과정을 바르게 서술한 경우	6점
답을 구한 경우	2점

[해설] 양팔 저울을 이용하여 무게 다른 동전을 찾는 문제는 전체 동전을 세 묶음으로 나눠서 두 묶음을 양팔 저울에 이용해 무게를 비교하는 방법으로 해결하면 양팔 저울을 최소로 사용할 수 있다.

24

• 풀이과정

A, B 두 시험관에 들은 용액의 전체양은 같다.

따라서 A, B 두 시험관의 세 용액의 비의 합이 같도록 해주면,

시험관 A의 세 용액의 양의 비는 6 : 3 : 3이고,

시험관 B의 세 용액의 양의 비는 6 : 4 : 2이다.

그러므로 두 시험관의 용액을 완전히 섞었을 때 세 용액의 양의 비는

(6+6) : (3+4) : (3+2)=12 : 7 : 5가 된다.

• 답 : 12 : 7 : 5

요소별 채점 기준	점수
풀이과정을 바르게 서술한 경우	6점
답을 구한 경우	2점

[해설] 시험관 A에 들어있는 세 용액의 비는 2 : 1 : 1이고, 시험관 B에 들어있는 세 용액의 비는 3 : 2 : 1이다.

시험관 A와 B에 들어있는 세 용액의 합은 같다. 따라서 시험관 A에 들어있는 세 용액의 비의 합은 4이고, 시험관 B에 들어있는 세 용액의 비의 합은 6이므로 4와 6의 최소공배수인 12를 각 시험관 전체 용액의 양으로 생각할 수 있다.

전체 용액을 12로 했을 때 시험관 A에 들어있는 세 용액의 비는 6 : 3 : 3이고,

시험관 B에 들어있는 세 용액의 비는 6 : 4 : 2이다.

따라서 시험관 A와 B의 용액을 섞으면 세 용액의 비는 12 : 7 : 5이다.

25

모범답안

- **풀이과정**

  (가)와 (나)의 밑면의 둘레의 비는 5 : 20이므로, (가)와 (나)의 밑면의 반지름의 비도 5 : 20이다.

  밑넓이의 비는 $5^2 : 2^2 = 25 : 4$이므로 (가)와 (나)의 밑넓이를 각각 25a, 4a라고 하자.

  (가)와 (나)의 높이비는 2 : 5이므로 (가)와 (나)의 높이를 각각 2b, 5b라 하면,

  두 원통의 부피의 비는

  (가)의 부피 : (나)의 부피 $= 25a \times 2b : 4a \times 5b = 50ab : 20ab = 5 : 2$이다.

- **답 : 5 : 2**

요소별 채점 기준	점수
풀이과정을 바르게 서술한 경우	6점
답을 구한 경우	2점

[해설] (가)는 가로 방향으로 둥글게 말아서 만든 원기둥이고, (나)는 세로 방향으로 둥글게 말아서 만든 원기둥이다. 원기둥의 부피는 밑넓이×높이로 구할 수 있으므로 (가)와 (나)의 밑넓이의 비와 높이의 비를 구해서 다음과 같이 구할 수도 있다. 밑넓이의 비는 밑면의 반지름의 제곱의 비와 같고, 밑면의 반지름의 비는 밑면의 둘레의 비와 같으므로 밑넓이의 비는 밑면의 둘레의 제곱의 비와 같다. 밑넓이의 비는 $5^2 : 2^2 = 25 : 4$이다.

높이의 비는 2 : 5이므로 (가)와 (나)의 부피의 비는 $25 \times 2 : 4 \times 5 = 5 : 2$이다.

26

예시답안

- 각뿔이다.
- 삼각형 모양의 면을 가진다.
- 모두 4개의 면을 가진다.
- 옆면이 삼각형이다.
- 각 면이 모두 다각형이다.
- 표면이 평평하다.
- 회전체가 아니다.
- 밑면과 평행한 면을 가지고 있지 않다.
- 부피를 가진다.
- 그림자의 모양이 삼각형이다.
- 정점에서 밑면에 내린 수선의 길이가 높이와 같다.
- 위에서 보았을 때 모양이 다각형이다.
- 모서리의 수=(밑면의 모서리의 수)×2 이다.

※ 유창성 [6점]

총체적 채점 기준	점수
10 가지 특징을 만든 경우	6점
9~8 가지 특징을 만든 경우	4점
7~6 가지 특징을 만든 경우	3점
5~4 가지 특징을 만든 경우	2점
3~1 가지 특징을 만든 경우	1점

※ 독창성 및 융통성 [4점]

요소별 채점 기준	점수
각기둥과의 다른 점을 서술한 경우	2점
모서리 수의 특징을 서술한 경우	2점

[해설] 주어진 두 전개도는 같은 각뿔 전개도이다. 각뿔과 관련된 특징을 여러 각도에서의 겉보기 모양, 모서리의 수의 특징, 각기둥과의 다른 점 등을 다양하게 서술하면 독창성 및 유창성 점수를 추가로 더 받을 수 있다.

27

- 63빌딩의 높이가 온도계의 높이의 몇 배인지 알아내어 높이를 구한다.
- 1층과 63층의 온도를 측정해 온도차에 따른 고도 차이를 이용해 높이를 구한다.
- 63층에서 온도계를 떨어뜨리고 바닥에 닿기까지 걸리는 시간을 측정하여 높이를 구한다.
- 63층에서 온도계에 줄을 달아 내린 후 줄의 길이를 잰다.
- 온도계의 그림자와 63빌딩의 그림자 길이를 이용해 비례식으로 63빌딩의 높이를 구한다.

예시답안

※ 유창성 [6점]

총체적 채점 기준	점수
다섯 가지 방법을 서술한 경우	6점
네 가지 방법을 서술한 경우	4점
세 가지 방법을 서술한 경우	3점
두 가지 방법을 서술한 경우	2점
한 가지 방법을 서술한 경우	1점

※ 독창성 및 융통성 [4점]

총체적 채점 기준	점수
온도계의 특징을 이용한 경우	2점
온도계와 다른 도구를 이용한 경우	2점

[해설] 온도계를 이용하여 63빌딩의 높이를 구하는 방법은 온도계의 특징을 이용하는 방법과 온도계와 다른 도구를 이용해서 구하는 방법이 있다.

- 지표면에서 높이 올라갈수록 기온은 내려가므로 높이에 따른 기온감률(기온이 감소하는 정도)을 이용하면 1층과 63층의 온도차를 이용하여 높이를 구할 수 있다.

- 63빌딩에서 온도계를 떨어뜨리고 바닥에 닿기까지 걸린 시간과 중력 가속도를 이용(물리 공식)하면 63빌딩의 높이를 구할 수 있다.

- 같은 시각에 온도계의 그림자 길이와 63빌딩의 그림자 길이를 비교하면 높이에 따라 그림자 길이가 비례하므로 비례식을 이용하여 63빌딩의 높이를 구할 수 있다. 63빌딩의 그림자 길이를 측정하려면 그림자가 다른 건물에 걸쳐지지 않고 그림자 길이가 지표면에만 있어 측정이 가능해야 한다.

28

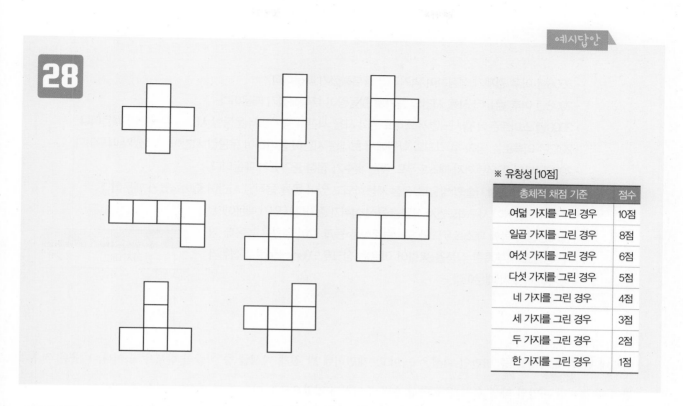

※ 유창성 [10점]

총체적 채점 기준	점수
여덟 가지를 그린 경우	10점
일곱 가지를 그린 경우	8점
여섯 가지를 그린 경우	6점
다섯 가지를 그린 경우	5점
네 가지를 그린 경우	4점
세 가지를 그린 경우	3점
두 가지를 그린 경우	2점
한 가지를 그린 경우	1점

[해설] 정육면체의 다양한 전개도에서 한 면을 빼는 방법으로 생각해도 좋다. 또는 뚜껑이 없는 상자 모양이므로 옆면은 4개의 면이 있고 아래에는 1개의 면이 있도록 전개도를 여러 가지 방법으로 그린다.

29 ❶

- 풀이과정

  지후네 반 전체 학생들 중 비만인 학생 수 : $\frac{2}{13} = \frac{8}{52}$

  재민이네 반 전체 학생들 중 비만인 학생 수 : $\frac{7}{52}$

  $\frac{8}{52} > \frac{7}{52}$ 로 지후네 반 학생들의 비만 정도가 더 심하다.

  비만 정도는 지후네 반이 더 심하지만 두 반의 학생 수를 알 수 없으므로 비만인 학생 수가 더 많은 반은 알 수 없다.

- 답 : 비만 정도가 심한 반은 지후네 반이고, 비만인 학생 수가 많은 반은 알 수 없다.

요소별 채점 기준	점수
비만 정도가 심한 반을 구한 경우	2점
비만인 학생 수가 많은 반은 알 수 없다고 서술한 경우	3점

②

- 2008년 이후 경제가 성장하여 먹거리가 풍부해졌기 때문이다.
- 2008년 이후 컴퓨터 사용 시간의 증가로 활동량이 부족해졌기 때문이다.
- 2009년 스마트폰이 출시되면서 스마트폰의 사용 시간이 증가해서 운동할 시간이 부족했기 때문이다.
- 2012년 이후로는 방과 후 학교와 학원에서 보내는 시간이 증가하여 운동할 시간이 부족했기 때문이다.
- 2008년부터 2014년까지 패스트푸드 먹는 횟수가 점점 증가했기 때문이다.
- 2008년부터 과학기술의 발달로 점점 자동화되고 있어 몸을 움직일 시간이 줄어들었기 때문이다.
- 우리나라 음식이 서구화되면서 고열량 음식 섭취가 증가하고 있기 때문이다.
- 경제성장과 함께 패스트푸드와 인스턴트식품 등과 같이 열량은 높은데 필수 영양소가 부족한 식품을 통틀어 이르는 정크푸드(junk food)의 섭취가 증가하고 있기 때문이다.

총체적 채점 기준	점수
한 가지 마다	2점

[해설]

① 지후네 반 전체 학생들 중 비만인 학생은 $\frac{2}{13}$이고, 재민이네 반 전체 학생들 중 비만인 학생은 $\frac{7}{52}$이다. 비율은 지후네 반이 더 높지만 비만인 학생 수는 전체 학생 수가 주어지지 않았으므로 어느 반이 더 많다고 할 수 없다.

② 2008년에 비만 학생 비율이 최저이고, 2008년에서 2010년 사이에 큰 폭으로 증가했다. 2008년부터 2014년까지 비만 학생 비율이 증가했고, 앞으로도 조금씩 증가할 것으로 예상된다. 그래프와 같이 변화된 원인은 정확하게 밝혀지지 않았으므로 그래프의 변화와 관련된 원인을 추리하여 다양하게 서술하면 된다. 과학기술의 발달, 패스트푸드 섭취량, 스마트폰, 높은 교육열로 인한 운동시간 부족, 경제성장 등 다양한 원인을 찾을 수 있다.

예시답안

30

①

- **장점**
  - 인구가 증가하면 물건을 만들고 소비하는 사람들의 수가 많아지므로 경제가 발전하게 될 것이다.
  - 사람들이 많으면 좋은 아이디어가 많이 나와 새로운 물건이 많이 만들어질 것이다

- **단점**
  - 한정된 공간에 인구가 많이 늘어나게 되면 살 곳이 부족하게 될 것이다.
  - 인구가 너무 많아지면 먹을 식량이 부족하게 될 것이다.
  - 사용할 연료와 에너지가 부족하게 될 것이다.
  - 환경오염이 더욱 심해질 것이다.

- **흥미로운 점**
  - 인구가 많아지면 나와 꼭 닮은 사람이 어딘가에는 꼭 있을 것이다.
  - 인구가 많아지면 독특한 생각을 하거나 특이한 모습을 한 사람들이 많아져 즐거울 것이다.

요소별 채점 기준	점수
장점을 서술한 경우	2점
단점을 서술한 경우	1점
흥미로운 점을 서술한 경우	2점

❷ 주어진 자료에서의 인구 수와 실제 인구 수와의 차이는 정확히 알 수 없다. 왜냐하면 먼저 현재 인구 수를 실시간으로 보여주는 자료는 높은 신뢰성을 주면서 정확한 인구 수로 생각할 수 있도록 수학적으로 표현된 것이고, 출생신고와 사망신고에 의한 데이터를 바탕으로 집계한 자료이기 때문에 신고가 바로바로 이루어지지 않아서 실시간 실제 인구 수와는 차이가 생길 수 있다. 또한 신고하지 않은 인원수는 데이터로 포함되지 않고, 인원수를 파악할 수 없는 지역도 있기 때문에 전 세계 실제 인구를 알 수도 없다. 따라서 주어진 자료에서의 인구 수는 어느 정도의 전 세계 인구 수를 수학적으로 표현한 것으로 전 세계 실제 인구 수보다는 적을 가능성이 높지만 어느 정도 차이가 될지는 알 수 없다.

요소별 채점 기준	점수
수학적 근거를 서술한 경우	4점
차이가 얼마일지 서술한 경우	3점
차이가 생기는 이유를 서술한 경우	3점

[해설]

❶ 인구 증가로 인해 생기는 장점과 단점, 흥미로운 점을 쓰는 기법은 PMI(Plus, Minus, Interesting) 기법이다. 특정한 대상의 긍정적인 면과 부정적인 면을 각각 기록한 다음 이들 각각에 대한 문제 해결자 나름대로의 판단에 의해 이익이 되는 점을 찾는 기법이다. PMI 기법은 제안된 아이디어의 장점, 단점, 흥미로운 점을 따져 본 후 그 아이디어를 평가하는 간단하면서도 매우 효과적인 기법이다. 주의할 점은 아이디어를 산출할 때, P, M, I를 철저히 분리해서 생각을 해야 한다. 흥미로운 점을 장점으로 쓰는 경우들이 있다. 장점은 인구 증가로 생기는 좋은 점을 서술하면 되고, 흥미로운 점은 인구 증가로 생기는 좋은 점이 아닌 새롭게 발견될 수 있는 흥미를 서술하면 된다.

❷ 어떠한 사실에 대하여 수학적으로 제시된 자료는 그렇지 않은 것보다 훨씬 높은 신뢰성을 가진다. 숫자로 표현된 문자는 그 누가 보더라도 같은 이미지를 제공하기 때문에 누구나가 같은 정도로 받아들여 더 정확한 값이라 생각하게 된다. 이러한 이유에서 수학적으로 표현하기 어려운 것들도 수학적으로 표현하려고 노력한다. 시간이나 날짜, 길이, 무게 등이 예이다. 실제 지구 상의 인구 수는 그 누구도 정확히 알 수 없다. 지금 이 문제를 풀고 있는 순간에도 누군가는 태어나고 또 다른 누군가는 죽을 것이다. 이러한 인구의 변화 정도를 시간과 연관시켜 세계 인구를 추정하며 이것 역시 불확실한 어떤 것을 숫자로 표현한 예라고 할 수 있다. 실제로 1초에 5명이 태어나고 2명이 죽는다는 통계가 있으므로 인구가 증가하는 속도는 비교적 정확할 것이나 실제 인구와의 차이는 누구도 알 수 없다.

문항 구성 및 채점표

평가영역 문항	수학 사고력		수학 창의성		수학 STEAM	
	개념 이해력	개념 응용력	유창성	독창성 및 융통성	문제 파악 능력	문제 해결 능력
31	점					
32		점				
33	점					
34		점				
35	점					
36			점	점		
37			점			
38			점	점		
39					점	점
40					점	점

평가영역별 점수	개념 이해력	개념 응용력	유창성	독창성 및 융통성	문제 파악 능력	문제 해결 능력
	수학 사고력		수학 창의성		수학 STEAM	
	/ 40점		/ 30점		/ 30점	

총점	

평가 결과에 따른 학습 방향

사고력	35점 이상	정확하게 답안을 작성하는 연습을 하세요.
	24~34점	교과 개념과 연관된 응용문제로 문제 적응력을 기르세요.
	23점 이하	틀린 문항과 관련된 교과 개념을 다시 공부하세요.

창의성	26점 이상	보다 독창성 및 융통성 있는 아이디어를 내는 연습을 하세요.
	18~25점	다양한 관점의 아이디어를 더 내는 연습을 하세요.
	17점 이하	적절한 아이디어를 더 내는 연습을 하세요.

STEAM	26점 이상	답안을 보다 구체적으로 작성하는 연습을 하세요.
	18~25점	문제 해결 방안의 아이디어를 다양하게 내는 연습을 하세요.
	17점 이하	실생활과 관련된 수학 기사로 수학적 사고를 확장하는 연습을 하세요.

31

• 풀이과정

어떤 액체의 부피를 1이라 하면, 고체의 부피는 $1+\dfrac{1}{20}=\dfrac{21}{20}$이다.

다시 고체가 녹아 액체가 될 때 액체의 부피는 1이므로

줄어든 부피는 $\dfrac{21}{20}-1=\dfrac{1}{20}$이다.

따라서 고체 부피의 $\dfrac{\dfrac{1}{20}}{\dfrac{21}{20}}=\dfrac{1}{20}\times\dfrac{20}{21}=\dfrac{1}{21}$이 줄어든다.

• 답 : $\dfrac{1}{21}$

요소별 채점 기준	점수
풀이과정을 바르게 서술한 경우	6점
답을 구한 경우	2점

[해설] 액체 부피를 기준으로 보면 액체에서 고체로 될 때 부피가 $\dfrac{1}{20}$이 늘어난다. 문제에서 요구하는 것은 고체 부피를 기준으로 고체에서 액체로 될 때 부피가 어느 정도 줄어드는지 구하는 것이다. 액체 부피를 기준으로 보면 두 경우 같은 부피만큼 변화가 생긴다. 그래서 액체의 부피를 1로 했을 때 고체의 부피를 구하고, 고체의 부피를 기준으로 고체에서 액체로 될 때의 부피 변화 정도를 구하면 된다.

32

• 풀이과정

다음 그림과 같이 네 모서리의 중점을 연결한 평면으로 자르면 그 단면은 정사각형이다.

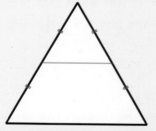

정삼각형 두변의 중점을 연결한 선이므로 정사면체의 한 모서리의 길이는 정사각형의 한 변의 길이의 2배이다. 따라서 정사각형의 넓이가 25 cm²이므로 한 변의 길이는 5 cm, 정사면체의 한 모서리의 길이는 10 cm이다.

• 답 : 10 cm

요소별 채점 기준	점수
자른 단면의 모양을 서술한 경우	4점
답을 구한 경우	4점

[해설] 정사면체를 어떤 평면으로 잘랐더니 자른 단면의 넓이가 정사각형이 되었다고 했으므로 정사면체를 평면으로 잘랐을 때 정사각형이 되는 방향을 찾아야 한다. 정사면체는 삼각뿔과 비슷한 도형이라서 밑면과 평행하게 자르면 삼각형이 나온다. 따라서 사각형이 나오려면 네 개의 면을 한꺼번에 자를 수 있는 방향이어야 한다. 정사각형이 나오려면 각 모서리의 중앙을 연결한 평면으로 잘라야 한다. 정사면체의 한 면은 정삼각형이므로 정삼각형 두 변의 중심을 연결한 선분의 길이는 정삼각형 한 변의 길이보다 2배 짧다. 정사각형의 넓이가 주어졌으므로 정사각형 한 변의 길이를 구해서 2배하면 정사면체 모서리의 길이를 구할 수 있다.

33

• 풀이과정

넓이가 1a인 철판의 가로를 $\frac{2}{5}$, 세로를 $\frac{3}{5}$으로 줄인 넓이는 원래 넓이의 $\frac{2}{5} \times \frac{3}{5} = \frac{6}{25}$이 된다.

원래 넓이의 $\frac{6}{25}$의 무게가 468 kg이므로 넓이가 1a인 철판의 무게는 $468 \times \frac{25}{6} = 1950$ (kg)이 된다.

넓이가 1a인 나무의 가로를 0.6, 세로를 0.8로 줄인 넓이는 원래 넓이의 $\frac{6}{10} \times \frac{8}{10} = \frac{48}{100}$이 된다.

원래 넓이의 $\frac{48}{100}$의 무게가 168 kg이므로

1a인 나무 판의 무게는 $168 \times \frac{100}{48} = 350$ (kg)이 된다.

따라서 넓이가 1a인 철판과 나무 판의 무게의 합은

1950 kg + 350 kg = 2300 kg = 2.3 t이다.

• 답 : 2.3 t

요소별 채점 기준	점수
철판 1a의 무게를 구한 경우	3점
나무 판 1a의 무게를 구한 경우	3점
답을 구한 경우	2점

[해설] 한 변이 10 m인 정사각형의 넓이를 1a라 하고, 일 아르라고 읽는다. 철판의 가로 세로를 줄였을 때 무게가 주어졌으므로 줄어든 무게를 이용하여 1a의 철판 무게를 구할 수 있다. 같은 방법으로 1a의 나무 판 무게를 구할 수 있다.

34

• 풀이과정

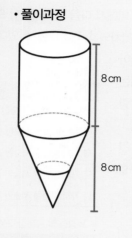

두 원뿔의 닮음비가 2 : 10l므로 부피의 비는 $2^3 : 1^3 = 8 : 10$l다.

따라서, 원뿔 모양의 부피는 채워진 물의 부피의 8배이다.

원기둥은 원뿔의 밑면과 높이가 같으므로

원기둥 부피는 원뿔 부피의 3배이다.

원뿔에 채워진 물의 부피를 V라 하면,

전체 그릇의 부피＝원뿔의 부피＋원기둥의 부피

＝$8 \times V + 3 \times 8 \times V = 32V$이다.

따라서 원기둥에 채워진 물의 부피의 32배이므로

물을 가득 채우려면 32×3분－3분＝93분 동안

더 부어야 한다.

요소별 채점 기준	점수
풀이과정을 바르게 서술한 경우	6점
답을 구한 경우	2점

• 답 : 93분

[해설] 그릇의 아랫부분은 원뿔 모양이다. 물을 채운 원뿔과 그릇 아랫부분 원뿔은 닮음이고 닮음비가 1 : 2이므로 부피의 비는 길이의 세제곱의 비와 같아서 1 : 8이다. 그릇의 윗부분은 원기둥 모양이고, 그릇의 아랫부분의 원뿔과 높이가 같다. 원뿔의 부피＝$\frac{1}{3} \times$ 밑넓이 $\times$ 높이이고, 원기둥의 부피는 밑넓이 $\times$ 높이이므로 원기둥의 부피는 원뿔의 부피의 3배이다. 따라서 3분간 물을 부었을 때 부피의 (8＋3×8)배를 더 물로 채워야 하고, 처음 3분간 물을 넣은 부피는 빼야 물을 가득 채우기 위해 몇 분간 더 물을 부어야 하는지에 대한 답을 구할 수 있다.

35

• 풀이과정

수면 위에 나온 막대의 길이는 ㉮ 지점에서는 막대 전체 길이의 $\frac{7}{25}(=1-\frac{18}{25})$,

㉯ 지점에서는 막대 전체 길이의 0.16(＝1－0.84)이므로

㉮, ㉯ 지점에서 수면 위에 나온 막대 길이의 차는 $\frac{7}{25}-0.16=\frac{7}{25}-\frac{4}{25}=\frac{3}{25}$이다.

막대 전체 길이의 $\frac{3}{25}$이 15 cm이므로 막대의 전체 길이는 15 cm$\times\frac{25}{3}=125$ cm이다.

따라서 ㉮ 지점에서의 연못의 깊이는 125 cm$\times\frac{18}{25}=90$ cm이다.

요소별 채점 기준	점수
막대의 길이를 구한 경우	6점
연못의 깊이를 구한 경우	2점

• 답 : 90 cm

[해설] 2개의 막대로 연못의 깊이를 재었더니 깊이가 달라서 막대의 일부만 물속에 잠겼다. 물 위로 나온 두 막대의 길이 차이가 15 cm로 주어졌으므로 주어진 두 막대가 물속에 잠긴 부분을 통해 막대의 길이를 구할 수 있다. 문제에서 요구하는 답은 막대의 길이가 아닌 ㉮ 지점에서의 연못의 깊이이므로 ㉮ 지점에서 막대가 물속의 잠긴 길이를 구해야 한다.

36

- 어느 역에 정차하였을 때 그다음 정차역까지의 거리를 알아본 다음 그 역에서 다음 정차역까지 도착하는 데 걸린 시간을 측정한다. 두 역 사이의 거리를 측정한 시간으로 나누면 기차의 속력을 구할 수 있다.
- 여름철에 철로가 열을 받아 늘어나므로 철로에는 일정한 간격으로 끊어진 부분이 있고, 이 부분을 열차가 지날 때마다 덜컹거린다. 덜컹거리는 시간 간격과 일정하게 끊어진 부분의 간격을 알면 기차의 속력을 구할 수 있다.
- 철길 주변에 일정한 간격으로 세워져 있는 전봇대나 가로수, 가로등의 간격을 알아보고 그 사이를 지나는 데 걸리는 시간을 측정하면 속력을 구할 수 있다.
- 기차에 설치된 속도계를 확인한다.
- 스마트폰에 설치된 내비게이션이나 위치 정보를 알려주는 앱을 이용해 기차의 속력을 알아본다.
- 기차의 속력을 알아보는 방법에 대해 보고서를 쓴다고 설명하고 기차에서 일하는 승무원이나 기관사에게 기차의 속력을 물어본다.

※ 유창성 [6점]

총체적 채점 기준	점수
다섯 가지 방법을 서술한 경우	6점
네 가지 방법을 서술한 경우	4점
세 가지 방법을 서술한 경우	3점
두 가지 방법을 서술한 경우	2점
한 가지 방법을 서술한 경우	1점

※ 독창성 및 융통성 [2점]

요소별 채점 기준	점수
시간과 거리를 구하는 방법을 서술한 경우	2점
시간과 거리를 이용하지 않는 방법을 서술한 경우	2점

[해설] 기차 안에서 기차의 속력을 구하려면 기차가 이동하는 거리와 이동하는 데 걸린 시간을 알아내야 한다. 다섯 가지를 서술해야 하므로 다양한 방법으로 기차의 속력을 구할 수 있는 방법을 찾는다. 두 역 사이의 거리와 이동하는 데 걸린 시간, 기찻길 옆 가로수나 전봇대 사이의 거리와 이동하는 데 걸린 시간, 스마트폰의 내비게이션을 통한 속력 측정 등 다양한 방법을 찾는다.

37

   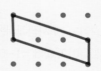

※ 유창성[10점]

총체적 채점 기준	점수
여덟 개를 그린 경우	10점
일곱 개를 그린 경우	8점
여섯 개를 그린 경우	6점
다섯 개를 그린 경우	5점
네 개를 그린 경우	4점
세 개를 그린 경우	3점
두 개를 그린 경우	2점
한 개를 그린 경우	1점

정답 및 해설

[해설] 사각형 중 마주 보는 두 쌍의 변이 서로 평행하고 길이가 같은 도형을 평행사변형이라고 한다.

38

- 왼쪽 1열의 수는 모두 1이다.
- 직각삼각형의 빗변에 있는 수들도 모두 1이다.
- 어떤 수는 그 수의 왼쪽 위에 있는 수와 그 수의 위에 수의 합이다.
  예를 들어 6행 3열의 10은 왼쪽 위에 있는 4와 위에 있는 6의 합이다.
- 왼쪽 2열의 수들은 1씩 커지는 자연수의 나열과 같다.
- 왼쪽 3열의 수는 2, 3, 4, 5,…만큼씩 증가한다.
- 각 행에서 뺄셈과 덧셈을 번갈아 가며 계산하면 그 값은 0이다.
  예를 들어 6행에서 1−5+10−10+5−1=0이다.
- 각 행에 있는 수들의 합에 2를 곱하면 다음 행에 있는 수들의 합이 된다.
  예를 들어 5행에서 1+4+6+4+1=16,
  6행에서 1+5+10+10+5+1=32=16×2이다.

※ 유창성 [6점]

총체적 채점 기준	점수
다섯 가지를 서술한 경우	6점
네 가지를 서술한 경우	4점
세 가지를 서술한 경우	3점
두 가지를 서술한 경우	2점
한 가지를 서술한 경우	1점

※ 독창성 및 융통성 [6점]

요소별 채점 기준	점수
수들 사이의 규칙을 서술한 경우	2점
사칙연산에 의한 규칙을 설명한 경우	2점

[해설] 수들의 나열을 보고 알 수 있는 사실을 글로만 표현하기 힘든 경우는 그림과 글로 표현해서 좀 더 정확하게 표현하는 것이 좋다.

39

❶ 같은 부피의 정육면체라고 하더라도 여러 개의 조각으로 나누면 겉넓이가 넓어지는 것처럼 같은 양의 음식을 먹는다 하더라도 꼭꼭 씹어 잘게 부수어진 음식물은 겉넓이가 넓어진다. 겉넓이가 넓어지면 음식물을 소화시키는 물질인 소화 효소와 닿는 면적이 늘어나므로 소화가 잘 된다.

요소별 채점 기준	점수
직육면체의 겉넓이와 부피의 관계를 서술한 경우	3점
소화가 잘되는 이유를 서술한 경우	2점

❷

- 뇌의 주름은 겉넓이를 넓혀 뇌의 기능을 향상시킨다.
- 소장의 융털은 겉넓이를 넓혀 소화와 흡수를 빠르게 한다.
- 폐의 폐포는 겉넓이를 넓혀 기체 교환을 빠르게 한다.
- 난방용 라디에이터는 겉넓이를 넓혀 열을 빠르게 방출한다.
- 사막 여우의 큰 귀는 겉넓이를 넓혀 열을 빠르게 방출한다.
- 빨래를 잘 펴서 널면 겉넓이를 넓혀 빠르게 마른다.
- 식물의 뿌리털은 겉넓이를 넓혀 물을 빠르게 흡수한다.

총체적 채점 기준	점수
다섯 가지 경우를 서술한 경우	10점
네 가지경우를 서술한 경우	8점
세 가지경우를 서술한 경우	6점
두 가지 경우를 서술한 경우	4점
한 가지 경우를 서술한 경우	2점

[해설]

❶ 정육면체를 여러 조각으로 자르면 겉넓이가 넓어진다. 다음과 같이 확인할 수 있다.

자르기 전 입체도형의 겉넓이는 $2 \times 2 \times 6 = 24 \, (cm^2)$이다.

정육면체를 한 번씩 자를 때마다 겉넓이는 $2 \times 2 \times 2 = 8 \, (cm^2)$씩 늘

어나고, 3번 잘랐으므로 $8 \times 3 = 24 \, (cm^2)$이다.

따라서 3번 자르면 겉넓이는 $48 \, cm^2$로 두 배 증가한다.

❷ 물체의 겉넓이를 넓혀 물질의 교환을 효율적으로 하는 경우가 많이 있다. 우리 몸에서도 뇌, 소장, 폐 등 여러 기관이 겉넓이를 넓혔다. 이런 구조를 활용한 경우로는 라디에이터, 에어컨, 냉장고 등이 있다.

예시답안

40

❶

• 풀이과정

비례대표 수＝비례대표 의석 수×득표율이고 득표율이 12％이므로

36＝비례대표 의석 수×0.12이다.

따라서 비례대표 의석 수＝36÷0.12＝300 (명)이다.

• 답 : 300명

요소별 채점 기준	점수
풀이과정을 바르게 서술한 경우	3점
답을 구한 경우	2점

❷ 친박연대의 비례대표 득표율이 13.2％이므로 54×0.132＝7.128이다.

따라서 친박연대의 비례대표는 7명이 적당하다.

요소별 채점 기준	점수
수학적 근거를 서술한 경우	7점
비례대표 수를 구한 경우	3점

[해설]

❶ 비례대표 수는 비례대표 의석 수에 득표율을 곱해서 구하므로 비례대표 의석 수는 비례대표 수를 득표율로 나눠서 구할 수 있다.

❷ 실제 비례대표 국회의원의 수는 지역구 국회의원 5석 이상 당선, 유효투표 총수의 3％ 이상 득표의 두 가지 조건을 만족하는 정당의 54석×득표율로 계산하여 나온 정수 부분이다.

문항 구성 및 채점표

평가영역 문항	수학 사고력		수학 창의성		수학 STEAM	
	개념 이해력	개념 응용력	유창성	독창성 및 융통성	문제 파악 능력	문제 해결 능력
41	점					
42	점					
43		점				
44	점					
45		점				
46			점	점		
47			점	점		
48			점	점		
49					점	점
50					점	점

평가영역별 점수	개념 이해력	개념 응용력	유창성	독창성 및 융통성	문제 파악 능력	문제 해결 능력
	수학 사고력		수학 창의성		수학 STEAM	
	/ 40점		/ 30점		/ 30점	

총점	

평가 결과에 따른 학습 방향

사고력	35점 이상	정확하게 답안을 작성하는 연습을 하세요.
	24~34점	교과 개념과 연관된 응용문제로 문제 적응력을 기르세요.
	23점 이하	틀린 문항과 관련된 교과 개념을 다시 공부하세요.
창의성	26점 이상	보다 독창성 및 융통성 있는 아이디어를 내는 연습을 하세요.
	18~25점	다양한 관점의 아이디어를 더 내는 연습을 하세요.
	17점 이하	적절한 아이디어를 더 내는 연습을 하세요.
STEAM	26점 이상	답안을 보다 구체적으로 작성하는 연습을 하세요.
	18~25점	문제 해결 방안의 아이디어를 다양하게 내는 연습을 하세요.
	17점 이하	실생활과 관련된 수학 기사로 수학적 사고를 확장하는 연습을 하세요.

41

• 풀이과정

학생 수를 □ 라고 하면

□÷7=△…5

□÷5=▽…3이다.

즉 노트의 수에 2를 더하면 7과 5로 나누어떨어진다는 것을 알 수 있다.

따라서 노트의 수는 7과 5의 공배수임을 알 수 있다.

7과 5의 공배수는 35, 70, 105……이므로

노트의 수가 될 수 있는 것은 35−2=33, 70−2=68, 105−2=103……이고,

40보다 크고 100보다 작은 수는 68이므로 노트 수는 68권이다.

• 답 : 68권

요소별 채점 기준	점수
풀이과정을 바르게 서술한 경우	6점
답을 구한 경우	2점

[해설] 한 학생에게 7권씩 노트를 나누어 주면 5권이 남고, 5권씩 나누어 주면 3권이 남는다고 했으므로 두 경우 모두 공책이 2권씩 부족하다. 2권씩 더 있다고 가정하면 학 학생에게 7권씩 노트를 나누어 주어도 5권씩 나누어 주어도 남는 공책이 없다. 따라서 7과 5의 공배수에서 2를 뺀 값이 노트 수이다. 노트 수 범위는 40권보다 많고 100권보다 작으므로 노트의 수 범위에 맞는 7과 5의 공배수에서 2를 뺀 68이 노트 수이다.

42

• 풀이과정

삼각형 ABE와 삼각형 ABC는 높이가 같고, 밑변의 길이의 비가 2 : 3이므로 넓이의 비도 2 : 3이다.

삼각형 ABE=$\frac{2}{3}$×삼각형 ABC=$\frac{2}{3}$×21 cm^2=14 cm^2

삼각형 ABF와 삼각형 ABE는 높이가 같고 밑변의 길이의 비가 1 : 2이므로

넓이의 비는 삼각형 ABF : 삼각형 ABE=1 : 2이다.

따라서 삼각형 ABF=$\frac{1}{2}$×삼각형 ABE=$\frac{1}{2}$×14 cm^2=7 cm^2 이다.

• 답 : 7 cm^2

요소별 채점 기준	점수
풀이과정을 바르게 서술한 경우	6점
답을 구한 경우	2점

[해설] 높이가 같은 삼각형의 넓이는 밑변의 길이에 비례한다. 삼각형 ABC와 삼각형 ABE는 높이가 같고 밑변의 길이만 다르므로 밑변의 길이의 비가 넓이의 비이다. 삼각형 ABE와 삼각형 ABF도 높이가 같고 밑변의 길이만 다르므로 밑변의 길이의 비가 넓이의 비이다. 따라서 삼각형 ABF의 넓이는 삼각형 ABC의 넓이의 $\frac{2}{3}×\frac{1}{2}=\frac{1}{3}$이므로 21 cm^2×$\frac{1}{3}$=7 cm^{2}이다.

43

• 풀이과정

홀수×홀수＝홀수, 홀수×짝수＝짝수, 짝수×짝수＝짝수이므로

두 수 모두 홀수인 경우에만 곱한 값이 홀수가 된다.

따라서 두 자리 수의 일의 자리에 올 수 있는 숫자는 1, 3, 5, 7의 4개이다.

□□ × □□ 에서 각 자리 숫자에 들어갈 수 있는 숫자의 가짓수는 다음과 같다.

(가짓수)	4			: 홀수(1, 3, 5, 7) 4가지
			3	: 홀수 중 1개를 제외한 3가지
	3			: 전체 숫자 5개 중 2개를 제외한 3가지
		3		: 전체 숫자 5개 중 3개를 제외한 2가지

∴ 4×3×3×2＝72가지이다.

• 답 : 72가지

요소별 채점 기준	점수
풀이과정을 바르게 서술한 경우	6점
답을 구한 경우	2점

[해설] 두 자리 수와 두 자리 수의 곱셈식의 값이 홀수가 되기 위해서는 두 자리 수가 모두 홀수이여야 한다. 홀수가 되려면 일의 자리 숫자만 홀수이면 되므로 1, 3, 5, 7만 가능하다. 5장의 카드 중 4장의 카드를 뽑아 두 자리 수와 두 자리 수의 곱셈식을 만드는 것이므로 숫자를 중복해서 사용할 수 없다.

따라서 다섯 숫자 중 홀수 숫자 4개는 두 자리 수의 일의 자리로 먼저 배열하고,

남은 숫자를 두 자리 수의 십의 자리로 배열하는 순으로 정하면

앞 두 자리 수의 일의 자리로 가능한 숫자의 개수 ➡ 4가지

×뒷 두 자리 수의 일의 자리로 가능한 숫자의 개수 ➡ 3가지

×앞 두 자리 수의 십의 자리로 가능한 숫자의 개수 ➡ 3가지

×뒷 두 자리 수의 십의 자리로 가능한 숫자의 개수 ➡ 2가지

＝4×3×3×2＝72가지이다.

44

• **풀이과정**

남학생의 평균 점수만 7점 올렸을 때 전체 점수의 합 : 79.6×25=1990 (점)

여학생의 평균 점수만 7점 올렸을 때 전체 점수의 합 : 78.2×25=1955 (점)

똑같이 7점씩 올렸지만 남학생의 평균 점수를 올렸을 때의 전체 점수의 합이 여학생의 평균 점수를 올렸을 때보다 더 높으므로 남학생의 수가 더 많다.

7점씩 올린 결과 점수의 합이 1990−1955=35 (점)만큼 차이가 나므로

남학생은 여학생보다 35÷7=5 (명) 더 많다.

그러므로 남학생은 (25+5)÷2=15 (명)이고,

남학생의 평균 점수만 7점 더 올렸을 때의 전체 점수의 합이 1990점이므로 올리지 않을 때의 전체 점수의

합은 1990−(7×15)=1885 (점)이다.

따라서 전체 평균 점수는 1885÷25=75.4 (점)이다.

• **답 : 75.4점**

요소별 채점 기준	점수
풀이과정을 바르게 서술한 경우	6점
답을 구한 경우	2점

[해설] 남학생의 평균 점수를 7점 올리면 반 평균 점수가 79.6점이고, 여학생의 평균 점수를 7점 올리면 반 평균 점수가 78.2점이므로 남학생 수가 여학생 수보다 많다는 것을 알 수 있다. 다음과 같이 반 평균 점수를 구할 수도 있다.

남학생의 경우가 여학생의 경우보다 반 평균 점수가 1.4점 높고 1.4점×25명=35점이므로 남학생이 여학생보다 35÷7=5 (명) 많다는 것을 알 수 있다. 남학생은 (25명+5명)÷2=15명이므로 7점×15명÷25명=4.2점을 79.6점에서 빼면 효진이네 반 학생들의 수학 평균 점수는 75.4점이다.

45

• **풀이과정**

기호 ⊙의 규칙은 가 ⊙ 나에서 가÷나의 나머지에 2를 곱한 값이다.

따라서 □ 안에 들어갈 알맞은 수는 7÷4=1…3, 3×2=6이다.

• **답 : 6**

요소별 채점 기준	점수
풀이과정을 바르게 서술한 경우	6점
답을 구한 경우	2점

[해설] 주어진 3개의 식을 통해 기호 ⊙의 규칙을 찾아야 한다.

46

· 풀이과정

두 삼각자에서 찾을 수 있는 각의 크기는 30°, 45°, 60°, 90°이다.

$45° - 30° = 15°$

$15° + 90° = 105°$

$30° + 45° = 75°$

$30° + 90° = 120°$

$45° + 90° = 135°$

$60° + 90° = 150°$

· 답 : 15°, 30°, 45°, 60°, 75°, 90°, 105°, 120°, 135°, 150°

예시답안

※ 유창성 [6점]

총체적 채점 기준	점수
11개를 찾은 경우	6점
10~9개를 찾은 경우	5점
8~7개를 찾은 경우	4점
6~5개를 찾은 경우	3점
4~3개를 찾은 경우	2점
2~1개를 찾은 경우	1점

※ 독창성 및 융통성 [4점]

요소별 채점 기준	점수
두 각의 덧셈 방법으로 찾은 경우	2점
두 각의 뺄셈 방법으로 찾은 경우	2점

[해설] 두 종류의 삼각자 중 한 삼각자는 직각삼각형으로 세 각이 30°, 60°, 90°로 이루어져 있고, 다른 삼각자는 직각이등변삼각형으로 45°, 90°로 이루어져 있다. 두 삼각자를 이용해 측정할 수 있는 각이므로 더하거나 빼서 측정할 수 있는 각을 모두 찾으면 된다. 또한 가장 작은 각은 45° - 30° = 15°이므로 15° 간격으로 각을 측정할 수 있다.

예시답안

47

· 서울에서 가장 기온이 높을 때(낮을 때)는 몇 시입니까?

· 원주에서 가장 기온이 높을 때(낮을 때)는 몇 시입니까?

· 서울에서 가장 기온이 높을 때(낮을 때)의 온도는 몇 ℃입니까?

· 원주에서 가장 기온이 높을 때(낮을 때)의 온도는 몇 ℃입니까?

· 서울의 기온 변화가 가장 심한 시각은 몇 시와 몇 시 사이입니까?

· 원주의 기온 변화가 가장 심한 시각은 몇 시와 몇 시 사이입니까?

· 기온을 몇 시간 간격으로 측정했습니까?

· 원주의 기온이 서울의 기온보다 처음으로 높아지는 때는 몇 시경입니까?

· 서울과 원주의 일교차는 얼마입니까?

· 원주의 기온이 8℃가 되는 때는 몇 시입니까?

· 그래프의 세로축과 가로축은 각각 무엇을 나타냅니까?

· 이 그래프는 무슨 그래프입니까?

· 이 그래프를 막대그래프로 나타내시오.

· 이 그래프는 몇 ℃까지 나타낼 수 있습니까?

· 원주보다 서울이 일교차가 심한 이유는 무엇입니까?

※ 유창성 [6점]

총체적 채점 기준	점수
10가지 문제를 만든 경우	6점
9~8가지 문제를 만든 경우	4점
7~6가지 문제를 만든 경우	3점
5~4가지 문제를 만든 경우	2점
3~1가지 문제를 만든 경우	1점

※ 독창성 및 융통성 [4점]

요소별 채점 기준	점수
그래프의 변화와 관련된 문제를 낸 경우	2점
일교차와 관련된 문제를 낸 경우	2점

[해설] 그래프 분석과 관련된 창의성 문제이다. 문제를 만드는 것이므로 다양한 형태의 문제를 만들어야 한다. 그래프만 보고 쉽게 찾을 수 있는 문제, 그래프의 변화와 관련된 문제, 그래프 분석을 통한 원인을 쓰는 문제 등 다양한 문제를 만들어야 독창성 및 융통성 점수를 받을 수 있다.

48

- 도시 건물의 창문이 규칙적으로 배열되어 있다.
- 다리의 길이를 짧게 만드는 것이 튼튼하고 효율적이기 때문에 강의 폭이 가장 좁은 곳에 다리를 건설하였다.
- 다리와 다리를 지지하는 기둥은 트러스 구조이다.
- 다리의 기둥은 안정적이기 위해 위로 올라갈수록 좁아지는 모양을 하고 있다.
- 건물의 창문에서 직사각형 모양을 찾을 수 있다.
- 직육면체 모양의 건물을 찾을 수 있다.
- 건물을 위에서 보았을 때, 점대칭 모양의 건물을 찾을 수 있다.
- 건물의 겉면을 사각형의 창문으로 빈틈없이 채운 테셀레이션을 찾을 수 있다.
- 도로 옆의 가로등은 일정한 간격으로 규칙적으로 배열되었다.
- 건물의 각 층의 높이가 일정하므로 한 층의 높이를 알면 탑의 높이를 알 수 있다.
- 같은 모양(합동)의 건물을 찾을 수 있다.

※ 유창성 [6점]

총체적 채점 기준	점수
10개를 찾은 경우	6점
9~8개를 찾은 경우	4점
7~6개를 찾은 경우	3점
5~4개를 찾은 경우	2점
3~1개를 찾은 경우	1점

※ 독창성 및 융통성 [4점]

요소별 채점 기준	점수
규칙성과 관련된 부분을 서술한 경우	2점
안정성과 관련된 부분을 서술한 경우	2점

[해설] 한 도시의 모습에는 수학적인 원리가 많이 적용되어 있다. 실생활에 수학이 많이 쓰이고 있다는 것을 알 수 있도록 구성한 문제이다. 도시의 그림을 통해 규칙성, 수학적 분석을 통한 효율성, 다양한 모양, 대칭, 안정성을 위한 삼각형 구조, 테셀레이션 등을 찾을 수 있다.

49

❶

• 풀이과정

$\dfrac{8}{5}=1.6$ ➡ $5:8=1:1.6$ $\dfrac{13}{8}=1.625$ ➡ $6:13=1:1.625$

$\dfrac{21}{13}=1.615\cdots$ ➡ $13:21=1:1.615\cdots$ $\dfrac{34}{21}=1.619\cdots$ ➡ $34:21=1:1.619\cdots$

$\dfrac{55}{34}=1.617\cdots$ ➡ $34:55=1:1.617\cdots$ $\dfrac{89}{55}=1.618\cdots$ ➡ $55:89=1:1.618\cdots$

피보나치 수열의 연속한 두 수를 비로 나타낸 결과
황금비는 약 1.61 또는 1.6180이다.

• 답 : 1.61 또는 1.618

요소별 채점 기준	점수
풀이과정을 바르게 서술한 경우	3점
답을 구한 경우	2점

❷

• 파르테논 신전과 피라미드와 같은 건축물의 가로, 세로의 길이 비는 황금비이다.

• TV나 컴퓨터 모니터의 가로, 세로의 길이 비는 황금비를 이룬다.

• 스마트폰이나 태블릿 PC의 화면의 가로, 세로의 길이 비는 황금비를 이룬다.

• 사람의 손끝에서 손목까지의 길이와 손목에서 팔꿈치까지의 길이 비는 황금비를 이룬다.

• 미모의 기준이 되는 8등신은 황금비를 기준으로 계산한 것이다.

• 명함이나 태극기의 가로, 세로의 길이 비는 황금비를 이룬다.

• 나뭇가지나 나뭇잎은 황금비를 유지하며 자란다.

• 앵무조개의 껍질의 나선 모양은 황금비를 이룬다.

• 모나리자와 같은 얼굴에서 황금비를 찾을 수 있다.

총체적 채점 기준	점수
한 가지 마다	1점

[해설]

❶ 피보나치 수열은 앞의 두 수를 더한 값을 나열한 것이다.

1, 1, 2, 3, 5, 8, 13, 21, 34, 55, …

이 수열에서 앞의 수로 뒤의 수를 나누어보면, $1\div1=1$, $2\div1=2$, $3\div2=1.5$, $5\div3=1.666\cdots$, $8\div5=1.6$, $13\div8=1.625$, $21\div13=1.615\cdots$, $34\div21=1.619\cdots$, … 계산을 진행할수록 결과값이 황금비에 점점 근접해 간다. 피보나치 수열은 모두 정수로만 이루어졌지만 정수의 비가 황금비가 됨을 알 수 있다.

❷ 두 변의 비가 황금비를 이루는 직사각형을 가장 모양이 좋은 직사각형으로 평가한다. 고대 그리스인들은 황금비를 회화·조각과 같은 예술 작품과 건축물 등 모든 일상에서 적용하였다. 파르테논 신전, 이집트의 피라미드, 레오나르도 다빈치의 비너스 조각상과 모나리자(인체 비율이나 회화의 구도) 등에서 1.618의 비율인 황금비를 찾아볼 수 있다. 오늘날 일상생활에서는 1.618 외에도 신용카드 등에 사용되는 1:1.56, A4 용지에 사용되는 1:1.414 등도 비교적 균형 잡힌 황금비율로 활용되고 있다.

황금비

정답 및 해설

❶
- 비밀번호를 이용한 방법이 더 효과적이다. 모양을 기억하는 것보다 번호를 기억하는 것이 더 쉽고, 모양을 그리는 것보다 숫자를 누르는 것이 잠금을 해제할 때 더 편리하기 때문이다.
- 패턴(모양)을 이용한 방법이 더 효과적이다. 4자리의 비밀번호를 사용하는 것보다 4개 이상의 점을 이어 모양을 만들면 더 많은 경우의 수가 존재하므로 보안에 유리하며, 다른 사람이 보아도 비밀번호처럼 쉽게 유출되지 않기 때문이다.

요소별 채점 기준	점수
한 가지 방법을 고른 경우	1점
타당한 이유를 서술한 경우	4점

❷
- 목소리 인식 : 내 목소리를 들려주면 스마트폰이 내 목소리를 분석해 내가 이야기할 때만 잠금을 해제한다.
- 홍채 인식 : 화면 노크 후 카메라로 홍채를 스캔하여 잠금을 해제한다.
- 노트 코드 : 화면의 약속된 부분을 정해진 패턴으로 누드리면 잠금을 해제한다.
- 얼굴 인식 : 스마트폰의 카메라로 얼굴을 인식하여 내 얼굴이 스마트폰을 보고 있을 때만 잠금을 해제한다.

요소별 채점 기준	점수
실현 가능한 새로운 아이디어를 고안한 경우	5점
원리를 서술한 경우	5점

[해설]

❶ 두 가지 방법 중 하나를 고르고, 이유를 논리적으로 설득력 있게 서술한다.

❷ 스마트폰의 잠금 해제 방법은 계속 새로운 아이디어로 변화하고 있다. 보완성도 높고 활용도도 높은 아이디어를 고안할 때 실현이 불가능한 경우는 점수로 인정하지 않는다. 또한 '스마트폰을 사용하지 않는다', '스마트폰보다 보완성이 높은 폰을 개발한다' 등과 같이 문제에서 요구하는 아이디어와 관련 없는 것은 점수로 인정하지 않는다.

안쌤의
창의적 문제해결력 시리즈

초등 1~2 학년

초등 3~4 학년

초등 5~6 학년

중등 1~2 학년

영재교육원 영재학급 관찰추천제 대비

5일 완성 프로젝트
파이널
안쌤의 창의적 문제해결력
수학 50제

초등
1~2
학년

영재교육원 영재학급 관찰추천제 대비

5일 완성 프로젝트
파이널
안쌤의 창의적 문제해결력
수학 50제

초등
3~4
학년

영재교육원 영재학급 관찰추천제 대비

5일 완성 프로젝트
파이널
안쌤의 창의적 문제해결력
수학 50제

초등
5~6
학년

영재교육원 영재학급 관찰추천제 대비

5일 완성 프로젝트
파이널
안쌤의 창의적 문제해결력
수학 50제

중등
1~2
학년

안쌤의 창의적 **문제해결력 시리즈**

초등 1·2학년
안쌤의 창의적 문제해결력 수학 1·2학년
안쌤의 창의적 문제해결력 과학 1·2학년
안쌤의 창의적 문제해결력 파이널 수학 50제 1·2학년
안쌤의 창의적 문제해결력 파이널 과학 50제 1·2학년
안쌤의 창의적 문제해결력 모의고사 1·2학년 (수학 과학 공통)

초등 3·4학년
안쌤의 창의적 문제해결력 수학 3·4학년
안쌤의 창의적 문제해결력 과학 3·4학년
안쌤의 창의적 문제해결력 파이널 수학 50제 3·4학년
안쌤의 창의적 문제해결력 파이널 과학 50제 3·4학년
안쌤의 창의적 문제해결력 모의고사 3·4학년 (수학 과학 공통)

초등 5·6학년
안쌤의 창의적 문제해결력 수학 5·6학년
안쌤의 창의적 문제해결력 과학 5·6학년
안쌤의 창의적 문제해결력 파이널 수학 50제 5·6학년
안쌤의 창의적 문제해결력 파이널 과학 50제 5·6학년
안쌤의 창의적 문제해결력 모의고사 5·6학년 (수학 과학 공통)

중등 1·2학년
안쌤의 창의적 문제해결력 파이널 수학 50제 중등 1·2학년
안쌤의 창의적 문제해결력 파이널 과학 50제 중등 1·2학년
안쌤의 창의적 문제해결력 모의고사 중등 1·2학년 (수학 과학 공통)

 매스티안

펴낸곳 ㈜타임교육   **펴낸이** 이길호
지은이 안쌤 영재교육연구소
주소 서울특별시 강남구 봉은사로 442   **연락처** 1588-6066

팩토카페 http://cafe.naver.com/factos
안쌤카페 http://cafe.naver.com/xmrahrrhrhghkr

자율안전확인신고필증번호 : B361H200-4001
1. 주소 : 06153 서울특별시 강남구 봉은사로 442
2. 문의전화 : 1588-6066
3. 제조년월 : 2021년 12월
4. 제조국 : 대한민국
5. 사용연령 : 8세 이상
※ KC마크는 이 제품이 공통안전기준에 적합하였음을 의미합니다.

⚠ 주의
종이, 모서리에 다칠 수 있으니 주의하세요!